Y PU⧻P

Tim

I unrhyw un sy'n gweld rhan
ohonyn nhw'u hunain yn Tim.

Y PUMP

ELGAN RHYS

gyda

TOMOS JONES

Rhybudd cynnwys: Yn ogystal â themâu ac iaith gref a all beri gofid i rai, ceir cyfeiriadau at orbryder, hunananafu ac ymosod corfforol yn y nofel hon.

Argraffiad cyntaf: 2021

Cynllun y clawr: Steffan Dafydd

Rhif Llyfr Rhyngwladol: 978 1 80099 061 6

Dymuna'r cyhoeddwyr gydnabod cymorth ariannol Cyngor Llyfrau Cymru

Cyhoeddwyd ac argraffwyd yng Nghymru ar bapur o goedwigoedd cynaliadwy gan Y Lolfa Cyf., Talybont, Ceredigion SY24 5HE
e-bost ylolfa@ylolfa.com
gwefan www.ylolfa.com
ffôn 01970 832 304
ffacs 01970 832 782

Y PUMP

| Tim
Elgan Rhys
gyda Tomos Jones

‖ Tami
Mared Roberts
gyda Ceri-Anne Gatehouse

‖| Aniq
Marged Elen Wiliam
gyda Mahum Umer

‖‖ Robyn
Iestyn Tyne
gyda Leo Drayton

‖‖| Cat
Megan Angharad Hunter
gyda Maisie Awen

Rheolwr a Golygydd Creadigol: Elgan Rhys
Mentor Creadigol: Manon Steffan Ros
Golygydd: Meinir Wyn Edwards
Marchnata: AM (Nannon Evans, Lea Glyn, Alun Llwyd, Llinos Williams)

Diolch o galon i Lenyddiaeth Cymru, National Theatre Wales,
ac Urdd Gobaith Cymru am eu cefnogaeth.

 amam.cymru/ypump

 @ypump_

DIOLCHIADAU

Diolch o waelod calon i'r bobl anhygoel ganlynol: i 'nghariad, Dylan, am ei amynedd; i Manon am ei chefnogaeth barhaus a hael; i Meinir o'r Lolfa am gadw popeth at ei gilydd gyda brwdfrydedd heintus; i weddill tîm y Lolfa am ymddiried yn y prosiect; i Elin Llwyd Morgan am ei pharodrwydd i rannu ei phrofiadau; i Elen Ifan am fod yn gymorth ac yn gysur; i Mared, Marged, Iestyn a Megan, ac i Ceri-Anne, Mahum, Maisie a Leo, am fod yn ysbrydoliaeth; ac yn olaf, i'r hynod dalentog Tomos, am gydweithio mor onest, hawddgar a chynnes wrth gyd-greu byd arbennig Tim. Fyddai Tim ddim yn Tim hebddot ti.

ELGAN RHYS

CREU Y PUMP

TOMOS JONES

Fel cyd-awdur y nofel *Tim*, fy rôl i oedd rhoi fy marn ar gymeriad a byd Tim. Ar ddechrau'r prosiect roedd angen i mi a'r cyd-awduron eraill dynnu o'n profiadau ni yn yr ysgol er mwyn creu byd y Pump. Roedd hynny ynddo'i hun yn brofiad afreal ac roeddwn i'n methu credu bod fy marn i am effeithio ar nofel y byddai pobl am ei phrynu a'i darllen.

Treuliais y rhan fwyaf o fy amser ar y prosiect yn cydweithio'n uniongyrchol gydag Elgan Rhys, awdur y nofel *Tim* a rheolwr y prosiect, gan drafod stori Tim mewn sawl galwad Zoom dros sawl penwythnos. Yn benodol, roedd angen imi weld unrhyw anghysonderau yng nghymeriad Tim ar sail fy mhrofiad i gydag awtistiaeth. Teimlwn bwysau mawr i osgoi'r ystrydebau sy'n bodoli ynglŷn ag awtistiaeth ac felly teimlwn y gallai fy llais gael effaith gadarnhaol ar gymdeithas. Gan ystyried nad oeddwn yn gallu siarad yn iawn nes fy mod i ym Mlwyddyn 1, roedd hyn yn deimlad anarferol i mi.

Bûm hefyd mewn cyfarfodydd Zoom gyda gweddill cyd-awduron ac awduron y gyfres i gysoni elfennau tebyg ym mhob nofel. Roedd cael cydweithio gyda phobl oedd â meddyliau tebyg i mi yn brofiad gwych iawn, yn enwedig wrth ystyried cyfyngiadau COVID. Mae'n rhyfedd meddwl i ni wneud yr holl bethau yma heb gyfarfod wyneb yn wyneb o gwbl, a sut yr arweiniodd 'retweeted tweet' gan athro yn fy ysgol at alwad Zoom gydag Elgan a chael cynnig rhan yn y prosiect bythgofiadwy hwn.

Wrth feddwl yn ôl dros y flwyddyn ddiwethaf, gwelaf yn glir effaith Tim arna i. Ar ddechrau'r prosiect, roeddwn i'n straffaglu gyda fy awtistiaeth, gan obeithio y byddai modd gwaredu'r diagnosis er mwyn cael bywyd haws. Teimlwn yn unig ac wedi fy ynysu oddi wrth bawb yn yr ysgol oherwydd doeddwn i heb siarad ag unrhyw un am hanner blwyddyn oherwydd y cyfnod clo. Ond, ar ôl gweld y cryfder y mae Tim yn ei ddangos yn ei stori wrth ddelio gyda'r holl newid yn ei fywyd, cefais fy ysbrydoli ganddo i fod yn falch ohonof fi fy hun ac yn fwy hyderus. Oherwydd cryfder Tim rwyf mewn lle llawer hapusach, ac yn awr yn rhan o grŵp o ffrindiau na fyddwn i erioed wedi dychmygu bod yn rhan ohono. Heb Tim, fyddwn i erioed wedi gallu datblygu'r hyder i fod yn fi fy hun heb orfod ymddiheuro am hynny.

Credaf fod Tim yn gymeriad pwysig i ddarllenwyr oherwydd ei lais real mewn byd o gymeriadau ystrydebol iawn. Cynigia Tim lais newydd i'r gymuned awtistig mewn llenyddiaeth, a gall fod yn ysbrydoliaeth i bobl ifanc awtistig fagu hyder a mentro allan i'r byd i ddarganfod eu lle mewn cymdeithas.

Yn olaf, hoffwn ddiolch i fy nheulu annwyl, Mam, Dad a fy chwaer, am gynnig gobaith parhaus i mi; i fy athrawon am fy annog i gynyddu fy hyder wrth ddefnyddio fy llais; ac i fy ffrindiau am fy annog i fod yn falch ohonof fi fy hun. Pe baen nhw heb wneud hynny, fyddwn i heb ystyried dod yn rhan o'r cynllun pwysig a gwych yma.

PROLOG

MANON STEFFAN ROS

Yn y dref hon...

Yn y dref hon, lle mae'r craciau yn y pafin yn wythiennau dan ein traed. Lle mae'r gwylanod yn pigo'r lliwiau o chwd y noson gynt ar fore dydd Sul, a'r siwrwd poteli'n sgleinio'n dlws wrth reilings y parc. Lle mae'r môr yn las neu'n wyrdd neu'n arian neu'n llwyd, yn anadlu'n rhewllyd dros y strydoedd a'r tai.

Dwi'n nabod fan hyn. Dwi'n nabod y bobol, heb orfod gwybod eu henwau na thorri gair efo nhw. Dwi'n eu nabod nhw fel dwi'n nabod y graffiti ar y bus shelter, a chloc y dre sy'n deud ers pymtheg mlynedd ei bod hi'n ugain munud i naw. Mae'r bobol yn perthyn i'r dref gymaint â'r ffyrdd, yr adeiladau, yr hanes.

Mae 'na bump sy'n bodoli yn fama fel rhes o oleuadau stryd.

Weithiau, maen nhw ar eu pennau eu hunain, wedi'u lapio yn eu cotiau neu dan eu hwds yn erbyn y tywydd a'r trwbwl, a'u clustffonau bychain yn mygu synau'r byd. Ond weithiau, maen nhw'n ddau neu'n dri neu'n bedwar neu'n bump – a dyna pryd maen nhw ar eu gorau.

Sŵn olwynion cadair olwyn fel ochenaid o ryddhad ar y pafin, bron ar goll dan alaw chwerthin y ffrindiau. Cip swil rhwng dau, a llygaid yn mynegi mwy nag unrhyw gyffyrddiad. Holl liwiau'r galon mewn sgarffiau hirion, meddal.

Mae'r rhain yn wahanol, y Pump yma, ond yn wahanol i beth, mewn difri? Weithiau, does dim ond angen gwên i wneud i chi sefyll allan.

Fraich ym mraich, pen un ar ysgwydd un arall, gwên gyfrin, sgwrs-hanner-sibrwd, jôc fudr a chwerthin aflafar. Ffrindiau gorau. Mae'r dref yma wedi gweld cenedlaethau ohonyn nhw, clymau tyn o gyfeillion, yn rhy ifanc i wybod mai'r rhain ydy'r ffrindiau gorau gawn nhw byth. Yn rhy ifanc i wybod mai pwy ydyn nhw rŵan, yn ansicr ac yn amherffaith a heb gyfaddawdu ar ddim, ydy'r fersiynau gorau ohonyn nhw fydd yn bodoli.

Yn y dref hon...

Maen nhw'n herio ac yn harmoneiddio. Yn llawen ac yn lleddf. Yn ffraeo, yn ffrindiau, mor doredig â'r craciau yn y pafin ac mor berffaith â'r blodau bychain sy'n tyfu allan ohonyn nhw.

Mae'r dref hon, rŵan, yn perthyn iddyn nhw.

1

MAE MAM YN gweud bod symud i fyw yn "bennod newydd". Dwi ddim rili'n deall. Ni ddim yn byw mewn llyfr. Ni ddim yn *gymeriade* sy'n byw mewn llyfr. Dwi'n lico darllen llyfre a comics. Yn enwedig rhai Marvel. Dyw cymeriade Marvel ddim yn real. Ni'n real. Mae Mam, Dad, Rex a fi *yn* real.

Ni ddim yn byw mewn llyfr. Ond ni *yn* symud i fyw i dŷ arall. Symud i fyw i rywle newydd. A mae meddwl am fynd i rywle newydd yn neud i'n ymennydd i gyflymu, cyflymu gyda cwestiyne, cwestiyne bydd *rhaid* i Mam a Dad ateb neu bydd *rhaid* i fi smasho ffenest y car a gweiddi, "Dwi'n jwmpo mas, dwi'n jwmpo, dwi'n jwmpo!" Dwi rili ddim isie smasho ffenest y car na jwmpo mas. Felly dwi'n tynnu cwestiwn o'n ymennydd i.

"Ydyn ni'n symud achos fi?"

A mae Dad yn stopo chwibanu a sgrolio ar ei ffôn ac yn edrych ar Mam gan ddisgwyl iddi hi ateb – mae e bob tro'n disgwyl iddi hi ateb. Dwi'n caru hi mwy na Dad. Dwi bach yn suspicious o Dad. Wrth i Mam feddwl am ateb, gyrru'r car a chnoi ei chewing gum spearmint ar yr un pryd, mae arogl y chewing gum spearmint yn pigo atgof mas o mhen i.

Fy niwrnod dwetha yn yr ysgol. Wel, fy hen ysgol erbyn hyn. A da'th y diwrnod dwetha hwnnw i ben am un ar ddeg o'r gloch y bore yn lle hanner awr wedi tri. A mae Mam yn dal i weud mai ddim bai fi o'dd e. Ond dwi'n meddwl mai bai fi o'dd e.

||||

O'n i yn fy ngwers Gelf ola. Dwi'n caru celf, achos dwi'n caru lliwie. A mae rhoi lliw ar rwbeth wastad yn helpu fi i wneud gwell synnwyr o bethe. Tasg y wers o'dd i ddarlunio cariad, a do'n i ddim rili'n deall achos shwt wyt ti'n darlunio cariad? A pa liw bydde cariad hyd yn oed? Yn ôl Mam, teimlad yw e, a mae lot o fathe o gariad i deimlo. Dwi heb deimlo'r cariad 'na eto at y person chi isie priodi. Dwi rili isie though! Er mwyn gwbod pa liw yw e. Felly, 'nes i esbonio mod i ddim yn deall a gofyn yr holl gwestiyne o'n ymennydd i i Mr Daniels, fy hen athro Celf blewog o'dd yn arogli fel coffi wedi llosgi, a wedodd e, "Jyst, darlunia."

Atebion byr o'dd e'n rhoi bob tro.

Felly ar ôl brwydro i feddwl sut i ddarlunio cariad, 'nes i benderfynu gwneud llun o ddau hoff Power Ranger fi, yr un pinc a'r un glas, yn cusanu. Achos pan ti'n teimlo cariad at y person 'na ti isie priodi, ti'n ca'l cusanu nhw – a lot mwy. Mae Mam yn gweud bod ddim angen siarad am y *lot mwy* (sef secs a stwff), ond mae Dad yn gweud bod e'n bwysig i fi siarad am y *lot mwy*. Mae rhieni'n ddryslyd. Falle wna i siarad â Dad am y *lot mwy* pan dwi'n llai suspicious ohono fe. Eniwei, dwi yn y wers Gelf yn darlunio'r Power Rangers yn cusanu, a dwi dal ddim yn gwbod os yw'r un pinc a'r un glas mewn cariad, ond stori ar y teledu yw *Power Rangers*, a dyw hwnna ddim yn real chwaith, felly mae'n OK i neud stwff lan amdanyn nhw. (Ond dyw e *ddim* yn OK i neud stwff lan am bethe real – achos celwydd fydde hynny.)

Ar ôl gorffen darlunio, o'dd pawb yn gorfod dangos eu gwaith i'r dosbarth, ac o'n i'n aflonydd achos o'n i'n rili rili rili gyffrous ac yn caru'r llun. Ond o'dd coese fi'n crynu achos o'n i'n rili nyrfys i sefyll o flân pawb. O'dd pawb yn dangos eu gwaith un ar ôl y llall, ac o'n i'n gweiddi "Hwnna'n amazing!" neu "Hwnna'n crap!" A gydag ochenaid, wedodd Mr Daniels:

"Tim… Tro ti."

A 'nes i godi ar fy nhraed, er bod coese fi'n dal i grynu, a chwys yn diferu o nhalcen i, a 'nes i ddangos fy llun o'r ddau Power Ranger yn cusanu. Yn hollol hollol falch o'n hunan. Ac yna clywed…

Chwerthin.

Pan mae rhywun yn chwerthin, a dwi ddim yn deall pam, mae nghalon i'n mynd yn glou, a nghorff i'n mynd yn boeth. Ac o'dd bron *pawb* yn chwerthin. Felly o'dd calon fi'n mynd yn super glou a nghorff i'n super boeth. Crynu.

Chwerthin uchel. Llais yn gweud, "Mae e mor weird."

Chwerthin rili uchel. Llais yn gweud, "Geith e byth kiss."

Chwerthin rhy uchel. Llais arall yn gweud, "Mae e'n perv."

Chwerthin rhy rhy uchel. Ac yna weles i Mr Daniels. Yn chwerthin. Crynu crynu crynu.

A dwi'n penderfynu peido cofio'r rhan nesa.

Y peth nesa dwi'n mynd i gofio yw arogl chewing gum spearmint. A llais Mam yn gweud,

"Ma'n OK, Tim. Dwi 'ma. Dwi 'ma."

A dwi'n stopo siglo yn y cwpwrdd celf, yn agor fy llyged ac yn gweld Mam ar ei chwrcwd yn gwenu, sy'n neud i fi deimlo'n saff. Dwi'n rhedeg i'w breichie (mond Mam sy'n ca'l cyffwrdd â fi pan dwi'n teimlo fel hyn) a dwi'n gweud, "Dwi'n sori, dwi'n sori, dwi'n sori, ydyn nhw'n dal i chwerthin? Dwi 'di sbwylo fe, dwi 'di sbwylo diwrnod ola fi, dwi'n sori."

A mae hi'n gweud, "Nid bai ti yw e…"

Wedyn mae Mam yn gweiddi ar fy hen brifathrawes, Mrs Kaminski, o'dd wastad yn gwisgo marŵn (Mrs Marŵn o'n i'n ei galw hi), yng nghanol maes parcio'r ysgol, "Chi 'di neud ffyc ol i edrych ar ei ôl e ers inni ga'l y diagnosis. Chi'n warthus! Dwi'n falch bod ni'n symud o'r shitshow yma!" A dwi'n eistedd yn y car yn aros amdani ac yn meddwl cyment dwi ddim yn hoffi rhegi (yn enwedig Mam yn rhegi), ond hefyd dwi'n meddwl sgwn i os bydd fy ysgol newydd i'n shitshow 'fyd. Mae Mam yn camu i mewn i'r car, a dwi'n arogli'r chewing gum spearmint eto, ac yn teimlo'i chariad hi, cariad Mam – sdim byd fel cariad Mam.

卌

Mae Mam yn tynnu'r chewing gum spearmint o'i cheg ac yn ei daflu mas drwy ffenest y car. Yn ogystal â'r rhegi dyna un peth arall dwi ddim yn hoffi am Mam – mae hi wastad yn taflu chewing gums i bobman ond y bin. Mae Mam yn clirio'i gwddw, ac yn gweud:

"Symud i fyw achos ti!?"

Dwi'n casáu pan mae pobl yn ailadrodd cwestiyne fi. Maen nhw'n osgoi ateb, dwi'n meddwl.

"Ti'n osgoi ateb y cwestiwn," dwi'n gweud.

Gan rwbio'i thrwyn, mae Mam yn gweud, "Ni *ddim* yn symud achos ti, ni'n symud ar gyfer job newydd dy dad."

Dwi'n meddwl bod hi'n gweud celwydd. Achos pan mae Mam yn rhwbio'i thrwyn mae hi'n gweud celwydd, yn ôl Dad. Ond, mae'n wir am Dad, mae 'da fe job newydd. Rheolwr Gweithredol ar gyfer Ynni Cymunedol Cymru. Dwi'n lico Dad am 'ny – mae e isie achub y blaned. Mae e fel Captain Planet, archarwr Marvel, ond fersiwn byrrach a ddim cweit mor cŵl.

"Ond, ni'n falch drostot ti bo' ni'n symud. Ma wedi bod isie ysgol well arnot ti ers iti ga'l dy ddiagnosis."

Un peth arall dwi ddim yn lico am Mam yw cyment mae hi'n mynd mlân a mlân am y diagnosis. Dwi wastad wedi gwbod bod rwbeth yn wahanol amdana i. A dwi 'di bod yn OK gyda hynny. Ond nawr, ers y diagnosis, mae pethe'n wahanol, a dyw Mam ddim yn stopo sôn amdano fe.

"Dwi 'di clywed pethe gwych am Ysgol Gyfun Llwyd, a ma adolygiade da gan rieni eraill sydd â plant gyda, gyda ti'bo... Ma teuluoedd eraill wedi symud i fyw i'r dre achos pa mor dda yw'r ysgol. Ma nhw'n edrych ar ôl pobl fel ti."

Pan mae hi'n gweud pobl fel fi, mae hi'n golygu pobl awtistig. Dwi ddim yn deall, mae hi'n obsessed ers i fi ga'l y diagnosis, ond mae hi'n ffaelu gweud y gair 'awtistig'.

"Pobl awtistig," dwi'n gweud. A mae hi jyst yn nodio ac yna'n edrych ar Dad ac mae'r ddau'n rhoi gwên lwyd crap i'w gilydd, ac yna mae Mam yn weipo deigryn o'i boch. A tra mae Mam yn obsessed, dyw Dad ddim yn wahanol o gwbl ers y diagnosis. Sai'n gallu penderfynu os ydy hynny'n beth da neu'n beth drwg. Am nawr, dwi'n penderfynu bod e'n beth drwg, oherwydd o leia mae ots 'da Mam. Sai'n siŵr oes ots 'da Dad. *Dyna* pam dwi'n suspicious ohono fe.

Wrth i Mam weipo'r deigryn, mae hi'n gweud, "O, 'drych, dyna fe!"

Ni'n gyrru heibio adeilad tal, di-liw, gwag, sydd wedi'i amgylchynu gan goed talach, ac yna dwi'n gweld:

CROESO I YSGOL GYFUN LLWYD
'addysg heb gymuned, cymuned heb addysg'

A mae Mam yn gweud, "O, 'na neis." A mae Dad yn chwerthin yn dawel, ond mae nghoese i'n dechre crynu, yn crynu digon i ddeffro Rex, sydd wedi bod ar fy nghôl i'r holl ffordd. Mae Rex yn gwbod pan dwi'n nyrfys, ac yn gallu tawelu fi gyda'i lyged bach brown ciwt. Mae e'n deffro ac yn edrych arna i, a dwi'n gweud wrtho fe, "'Drycha, Rex, ysgol newydd Tim."

A dwi'n tawelu rhywfaint…

Ond mae'n ymennydd i'n cyflymu eto, yn cyflymu gyda chwestiyne newydd am yr ysgol newydd anghyfarwydd. Dwi'n casáu pethe newydd, a phethe anghyfarwydd.

A mae hyn i *gyd* yn newydd, ac yn anghyfarwydd.

Adeilad newydd ac anghyfarwydd. Dosbarthiadau newydd ac anghyfarwydd. Athrawon newydd ac anghyfarwydd. Pobl newydd ac anghyfarwydd. Tre newydd ac anghyfarwydd! Supermarkets newydd ac anghyfarwydd!! Tŷ newydd ac anghyfarwydd!!!

Pan dwi'n mynd yn overwhelmed gyda'r syniad o bethe sy'n newydd ac yn anghyfarwydd, mae nghorff i'n colli rheolaeth. Dwi'n dechre gweiddi,

"Dwi'n jwmpo mas, dwi'n jwmpo, dwi'n jwmpo!"

A dwi'n dechre smasho ffenest y car, a mae Rex yn cyfarth yn uchel.

Smasho. Smasho. Smasho.

Mae Mam a Dad yn freako mas ac yn gweiddi, "Tim!"

𝍤

'Nes i ddim llwyddo i actually smasho ffenest y car, a dwi'n rili falch am 'ny. Ond 'nes i frifo fy nwrn, a gorfod mynd i'r ysbyty gymunedol newydd i ga'l plaster achos dwi 'di fracturo fe. 'Nes i weud wrth Doctor Anna Annwyl yn syth mai bai fi o'dd e, ond wedodd Mam, "Nid bai ti o'dd e…" unwaith eto. O'dd Doctor Anna Annwyl yn rili, rili… annwyl, yn lelog o annwyl. Fel ei band gwallt lliw lelog. Do'n i ddim yn ei deall hi'n siarad, ond na'th hi esbonio, "Dwi'n Gog, fel lot o bobl eraill yn y dre 'ma. Ddoi di i arfar, sti." A 'nes i ofyn, "Ydy pawb yn annwyl fel ti yn y dre 'ma?" A na'th hi wenu cyn gweud, "Ma 'na lot ohonan ni, oes. Fyddi di'n rêl boi." A 'nes i redeg mas o'r ysbyty gyda Mam yn rhuthro ar fy ôl i, a jwmpo a dychryn Dad o'dd yn y car a gweud wrtho fe am rolio'i ffenest e lawr, a gweiddi, "Dwi'n mynd i fod yn 'rêl boi.'"

A dwi wedi bod yn 'rêl boi' drwy weddill mis Awst a'r wythnose cynta yn ein tre newydd, ac yn ein tŷ newydd. Ni'n gallu gweld y môr o'n tŷ ni nawr, ond mae'n ddigon pell o'r môr hefyd, a ni mor, mor agos i'r goedwig. Dwi'n caru coedwigoedd. Dwi, Rex a Dad wedi bod am dro drwy'r goedwig at y rhaeadr bob diwrnod am bedwar o'r gloch ers i ni gyrradd. 'Nes i weld Doctor Anna Annwyl un diwrnod a gweiddi, "Hei Doc! Dwi'n rêl boi!" Dwi isie mynd am dro drwy'r goedwig bob dydd, am byth.

Dwi dal heb fod i Lidl, dwi ddim yn barod eto. Ond mae Mam wedi bod, ac wedi siarad gyda phobl newydd.

('Nes i ofyn be o'dd eu henwe nhw, ond na'th hi ddim gofyn, sy'n neud fi'n grac.) A wedodd hi, "Ma pobl wedi ymateb yn gynnes pan dwi 'di gweud wrthyn nhw amdanot ti." A 'nes i ofyn, "Be ti'n gweud amdana i?" A wedodd hi, "Jyst, ti'bo... Ma 'da fi deimlad da am y lle 'ma." A na'th hi ddim yn ateb y cwestiwn, ond 'nes i ddim gofyn am yr ateb eto achos dwi 'di bod yn rhy distracted gyda faint dwi'n caru stafell fi.

Fy stafell i yw fy hoff le i yn y dre sydd ddim mor newydd rhagor. Mae WiFi yn cyrradd Xbox fi, mae Power Rangers merchandise fi i gyd lan, posteri Marvel ar y walie, dillad mewn trefn yn ôl lliw, desg gyda lle i bethe ysgol newydd fi, a gwely Rex ar waelod fy ngwely i. 'Nes i hyd yn oed dreulio holl ddiwrnod pen-blwydd fi'n un deg chwech yma, gyda Mam, Dad a Rex, yn rhannu cacen siocled *Deadpool* 'da fi ar fy ngwely. Dwi'n un deg chwech. Dwi'n caru fan hyn. Ni wedi symud i fyw, a dwi'n OK 'da hynna.

Dwi wrthi'n chware *Marvel Avengers: Battle for Earth* ar fy Xbox, gyda fy nwrn sy'n rhydd o'r plaster o'r diwedd (dwi'n gobeithio ga i fynd at Doctor Anna Annwyl 'to, ond sai isie bod yn sâl neu'n brifo 'to), pan mae Mam yn cnocio ar fy nrws i dair gwaith – sy'n meddwl bod hi'n dod i mewn a'i bod hi'n amser cysgu.

Ar ôl i Mam roi'r weighted blanket arna i (mae hi'n rhoi e achos dwi'n ffeindo fe'n drwm, ac mae e'n neud fi gysgu'n well) mae hi'n gofyn i fi,

"Be yw'r dyddiad, Tim?"

Pam mae hi'n siarad â fi fel'na? "Pam ti'n siarad â fi fel'na?"

"Jyst ateba."

Dwi'n ateb, "Pedwerydd o Fedi, obviously."

"Sy'n meddwl be…?"

"Sy'n meddwl fory ma hi'n bumed o Fedi, a dwi'n dechre Blwyddyn 11 yn Ysgol Gyfun Llwyd. Stopia patroniso fi. Dwi ddim yn blentyn rhagor. Dwi'n un deg chwech."

Mae Mam yn gwenu fel lliw yr awyr heno.

"Dwi 'di ca'l rhain i ti, OK." Mae hi'n rhoi earplugs newydd i fi cyn gweud, "Fyddi di'n 'rêl boi" mewn acen debyg i Doctor Anna Annwyl, a ni'n dau'n chwerthin achos dyw Mam ddim yn Gog. Dwi'n lico Mam ar adegau fel hyn, a ni'n chwerthin yn aml adeg yma o'r nos.

Wrth iddi adel, dwi'n dechre teimlo'r crynu 'na eto, a mae'n ymennydd i isie cyflymu, felly,

"Mam?"

"Ie?" gyda'i bys yn barod i droi'r gole bant.

"Ti'n addo bydd Ysgol Gyfun Llwyd ddim yn shitshow?"

A gan rwbio'i thrwyn (sy'n golygu celwydd) mae hi'n gweud,

"Ydw."

2

WEITHIE DWI'N MEDDWL am amser. A weithie dwi'n meddwl am fyd lle bydde fe'n bosib rhoi amser ar Pause. Os bydden i'n ca'l y dewis i roi amser ar Pause yn y byd yma, bydden i wedi'i neud e ddoe. Y pedwerydd o Fedi. O'n i'n caru ddoe a caru ble o'n i ddoe. Ond ni'n ffaelu rhoi amser ar Pause yn y byd 'ma. A mae hi'n bumed o Fedi nawr, a dwi ar fy ffordd i Ysgol Gyfun Llwyd. Dwi ddim yn caru heddi eto. Dwi heb stopo crynu ers neithiwr. Mae heddi'n hala ofn arna i.

Dwi'n meddwl bod heddi'n hala ofn ar Mam hefyd, achos dyw hi ddim 'di stopo siarad yr holl ffordd wrth ddreifo. Dyw hi ddim 'di stopo siarad am y ffaith bod yr "… ysgol a'r prifathro, Mr Roberts, yn gwbod yn iawn bod ti'n, ti'bo…"

A dwi'n gweud, "… awtistig."

"A ma 'da nhw gwnselydd lyfli sy'n deall, ti'bo…"

A dwi'n gweud, "… awtistiaeth."

"A ma 'da nhw adnodde fel headphones arbennig a fidget spinners a phethe fel'na i bobl fel ti."

A dwi'n gweud, "Pobl awtistig."

A mae hi'n gweud, "Ie."

Dwi ddim angen fidget spinner. Dwi'n casáu nhw. 'Na i ystyried yr headphones, ond mae 'da fi'r earplugs ges i'n anrheg gan Mam. Dwi mond angen nhw pan mae sŵn yn lot, lot rhy uchel.

"Ti ofn?" dwi'n gofyn.

Dyw hi ddim yn ateb. Felly, dwi'n cymryd bod ofn arni. A mae'r ffaith bod Mam yn ofnus hefyd yn neud i fi deimlo'n llai ofnus. A mae sylweddoli a teimlo hynna yn amseru gwych wrth i ni gyrraedd yr adeilad tal di-liw sydd wedi'i amgylchynu gan goed talach, a'r tro 'ma dyw e ddim yn wag. Mae hi'n bumed o Fedi. Mae hi'n ddechre tymor. Mae hi'n brysurach na Lidl.

Mae lot fawr o bobl. Pobl newydd. Ysgol newydd.

Crynu, crynu, crynu.

"Be dwi 'di gweud wrthot ti?" mae Mam yn gofyn.

"Os dwi'n crynu ac yn ofni, dwi'n meddwl am lyged Rex neu'n rhoi earplugs mewn neu'n anadlu mewn a mas." Mae Mam yn rhoi gwên lwyd wan gyda'i gwefuse'n crynu. Dwi'n meddwl mod i'n ca'l y crynu gan Mam.

Pan dwi'n agor y drws mae sŵn y bobl newydd yn

uwch, ond dwi'n OK, dwi ddim angen yr earplugs. Dwi'n edrych ar yr holl bobl newydd, a dwi'n cofio am Doctor Anna Annwyl yn gweud am bobl annwyl, "Ma 'na lot ohonan ni, oes." A dwi'n tawelu rhywfaint. A cyn gweud caru ti a chau drws y car, dwi'n cofio am un cwestiwn arall dwi wedi bod isie gofyn i Mam.

"Ti'n meddwl wna i ffrindie a ca'l cariad dwi isie priodi fan hyn?"

'Nes i ddim wir llwyddo i ga'l ffrind na cariad yn fy hen ysgol ond dwi'n lico cwmni'n hunan so mae'n OK.

"Gewn ni weld, ife." A mae Mam yn iawn – gewn ni weld. Ond yn dawel ac yn sydyn, dwi'n neud dymuniad yn fy meddwl, yna'n gweud caru ti ac yn cau drws y car, a mae Mam yn gadel fi ar ben fy hunan o flân yr arwydd,

CROESO I YSGOL GYFUN LLWYD
'addysg heb gymuned, cymuned heb addysg'

Anadlu mewn a mas.

Mae earplugs yn y bag.

Anadlu.

Mewn a mas.

Mewn.

Mas.

Dwi'n gwbod mai'r peth cynta sy rhaid i fi neud yw mynd i'r Swyddfa erbyn naw o'r gloch a gweud, "Tim Morgan ydw i" a dylen nhw wbod pwy ydw i achos maen nhw'n aros amdana i achos fi yw'r unig berson newydd ym Mlwyddyn 11. Hawdd. Ond mae hi'n chwarter i naw…

Anadlu.

'Nes i ddim sylweddoli. Dwi'n sylweddoli fel arfer. Ond dwi chwarter awr yn gynnar. A mae Mam yn gwbod cyment dwi'n casáu bod yn rhy gynnar. Dwi isie gweiddi arni. Ond dyw hi ddim yma. Dyw hyn *ddim* yn ddechre da. Achos, be dwi fod i neud nawr? Be dwi fod i neud am y *chwarter awr* nesa?!

Anadlu.

A dwi'n dechre cerdded, ond sai'n siŵr i ble 'to, felly mae'n llyged i'n penderfynu dilyn yr arwyddion saethau gwyn ar lawr, arwyddion saeth sy'n arwain fy nhraed i tuag at ddryse blaen yr ysgol. Dwi'n penderfynu mai anelu at ddryse blaen yr ysgol yw'r peth gore i fi neud, a galla i aros fan'na cyn mynd i'r Swyddfa am naw o'r gloch.

Dwi'n cyrraedd y dryse blaen. Anadlu. A dwi'n neud yn siŵr bo' fi'n cadw golwg ar yr amser.

Wrth anadlu, tua pum metr oddi wrtha i, dwi'n sylwi arno fe. Fe? Neu hi? Hi neu fe? Fe, dwi'n meddwl. Weda i mai fe yw e am nawr.

Mae e ar ben ei hunan a mae e'n gwisgo siaced biws. Dwi ddim yn meindo piws. Hoff Marvel supervillain fi yw Purple Man. Dyw e ddim yn edrych fel Purple Man. Mae e'n edrych fel Bobby o *Queer Eye*, hoff raglen Mam. Falle mai mab Bobby o *Queer Eye* yw e.

Mae mab Bobby o *Queer Eye* yn gwisgo piws ac yn smoco ar ben ei hunan. Mae Dad yn smoco, a mae Mam yn esgus bod hi ddim yn gwbod bod e'n smoco, sy ddim yn neud sens. Ac yn fy hen ysgol o'dd polisi dim smoco. Falle bod hawl smoco yn Ysgol Gyfun Llwyd, ond dwi ddim isie smoco, achos mae arogl smoco Dad yn neud i fi fod isie chwydu.

"Dim smocio yn Ysgol Gyfun Llwyd, Robyn."

Dwi'n meddwl bod 'na bolisi dim smoco yn Ysgol Gyfun Llwyd. Ac mai enw'r un sy'n gwisgo piws yw Robyn. Ac yn syth ar ôl gweud hynny wrth Robyn, mae'r bachgen â jwmper Jack Wills – dwi'n gwbod mai ddim ei enw fe yw Jack Wills – yn waco'r smôc mas o law Robyn.

Mae Robyn yn dechre gweiddi, "Ffyc off, Llŷr."

A mae Llŷr â'r jwmper Jack Wills yn chwerthin a rhedeg bant at griw o fechgyn, ac yn rhoi llwyth o high-fives iddyn nhw.

Ond mae Robyn yn dal i weiddi'n uchel. Rhy uchel. Yn uwch na chyfarth Rex. Uchel. Mor uchel. Dwi'n meddwl mai dim ond fi sy'n clywed e erbyn hyn. Neu falle bod pawb arall yn clywed e, ond yn dewis peido clywed e. Dwi'n deall hynny. Dwi'n deall e. Ond mae'i lais e'n rili brifo nghlustie i nawr. Crynu.

"Stop!"

Mae e'n stopo.

Tawel.

Neis.

"Diolch."

A mae e'n edrych arna i fel tasen i wedi'i saethu fe neu rwbeth. Ond dwi heb saethu fe. Jyst gofyn iddo fe stopo gweiddi achos, "Dyw pobl ddim yn gwrando arnot ti os ti'n gweiddi."

Mae e'n dal i edrych arna i, a'i wyneb saethu yn dechre diflannu. Mae e'n gweud, "Yn ôl pwy?" a mae e'n Gog 'fyd.

"Mam," dwi'n gweud. "Tad ti yw Bobby o *Queer Eye*?"

Ac wrth rwbio'i wallt gole mae e'n dechre chwerthin ei ben off, ond dyw ei ben e ddim actually yn dod off, mae e jyst yn chwerthin lot. Wedyn mae e'n stopo'n sydyn ac yn edrych arna i a gweud, "I wish…"

Rwbeth od i neud wish amdano. Sdim pwynt neud wish am dad newydd. Sdim dewis 'da ti.

"A brawd chdi 'di Joe Sugg, ia?" mae e'n gofyn.

"Sdim 'da fi frawd na chwaer. A sdim brawd 'da Joe

Sugg chwaith – chwaer sy 'da Joe Sugg."

"Ia, ia, dwi'n gwbo' hynna, Zoella…"

Dwi ddim yn deall. "Pam bod ti'n gofyn os o't ti'n gwbod?"

Dyw e ddim yn ateb. Dwi ddim yn lico pan dyw pobl ddim yn ateb. Dyw e ddim yn ateb, mond yn neud cylch gyda'i lyged a'i eyebrows taclus e, a chodi'r smôc lan o'r llawr, rhoi e yn y bin, a dechre chwerthin. Mae e'n chwerthin, a dwi ddim yn gwbod pam.

Pan mae rhywun yn chwerthin, a dwi ddim yn deall pam, mae nghalon i'n mynd yn glou a nghorff i'n mynd yn boeth, a tro 'ma dwi isie rhedeg bant. Dianc. Dwi isie dianc. Crynu. Crynu. Crynu.

Ond cyn i'r crynu gymryd drosto mae Robyn sy'n gwisgo piws yn gweud, "Ti'n newydd."

Mae e'n iawn.

A mae'r crynu'n dechre tawelu.

"Pa flwyddyn wyt ti?"

A gan ddal fy anadl dwi'n gweud, "Un ar ddeg."

"A fi… Ti ben dy hun?" mae e'n gweud, a mae e'n rong achos dwi ddim ar ben fy hun, dwi gyda fe. A mae anadlu fi wedi arafu. "Croeso i ti, fel, hangio allan efo fi os ti isio, os ti ar ben dy hun," mae e'n gweud, ond dwi ddim yn meindo bod ar ben fy hun. Dwi 'di arfer yn fy hen ysgol.

"Ydyn nhw 'di rhoi bydi i chdi?"

"Beth yw bydi?"

A mae e'n gweud, "Ma isio gwarchod pobl newydd fel chdi. 'Na i fod yn bydi i chdi. Ac os 'dan ni'n bydis, ti'n bydi i weddill y Loners hefyd."

Be yw Loners?

"Be yw Loners?"

"Loners: y criw sy'n dod â lliw…"

Lliw piws siŵr o fod.

"… i Ysgol Gyfun Llwyd."

Mae e'n enw crap ond yn swnio bach fel Power Rangers Cymraeg,

"Ydy e fel Power Rangers Cymraeg?"

Mae e'n chwerthin.

A cyn i nghorff i ga'l y cyfle i grynu 'to dwi'n gweud, "Plis stopa chwerthin a paid â gweud bod Power Rangers yn blentynnaidd. Y tro dwetha i rywun chwerthin a gweud bod Power Rangers yn blentynnaidd 'nes i hito pump disgybl yn eu wynebe, ac wrth i hen athro Celf fi drio llusgo fi bant, 'nes i hito fe hefyd, ac o'dd lot o waed, ac er mwyn ca'l llai o waed, 'nes i daflu'r paent i gyd yn y dosbarth at bawb, yna fflipo'r holl fyrdde a wedyn cuddio yn y cwpwrdd celf nes i Mam ddod i nôl fi. Ond 'nes i weud sori achos o'n i'n meddwl mai bai fi o'dd e, ond ma Mam wastad yn gweud nid bai fi yw e, a wedyn 'nes i adel achos dyna o'dd diwrnod ola fi yn hen ysgol fi."

Mae Robyn wedi stopo chwerthin. Wedyn mae e'n dechre eto. Ond mae chwerthin Robyn yn wahanol tro 'ma – chwerthin mwy oren cynnes – a dwi ddim isie dianc, na hito fe.

"Gall y Loners fod fel Power Rangers Cymraeg os ti isio."

Mae e'n cŵl. A dwi'n sylwi bod hi'n ddeg munud i naw.

"A ma'r Power Rangers Cymraeg yma, y Loners, yn edrych ar ôl ei gilydd, a dianc oddi wrth y bobl greulon, a, wel... shitshow bywyd."

"Dwi angen mynd i'r Swyddfa mewn munud. Ond, ydy'r lle 'ma'n shitshow?"

"Ma'n gallu bod. Ond ti'n iawn efo fi." Dwi'n teimlo'n saff 'da Robyn yn barod.

"O, a hefyd, ma gennan ni lifehack cyfrinachol. A dwi'n meddwl 'nei di licio'r lifehack. Ond cyn i fi rannu efo chdi, ma isio i chdi gyfarfod y Loners eraill."

"Pwy?" dwi'n gofyn.

"Y tair draw fan'na sy'n dod atan ni rŵan."

A dwi'n eu gweld nhw. Ac yn cofio bo' fi ddim yn lico cwrdd â lot o bobl newydd ar unwaith.

Ond.

Mae'n llyged i…

A nghoese i…

…yn crynu. Ond crynu'n wahanol.

A mae'n llyged i'n crynu. Dyma'r tro cynta i'n llyged i grynu, dwi'n cymryd mai nyrfs yw e, a mae'n llyged i'n hooked ar y ferch 'ma, a mae hi deffo yn *hi*, a ddim yn *fe*, dim bod ots. Jyst… dwi'n siŵr. Mae hi'n gwenu yn neis, yn neud i fi gofio am y tro na'th Mam wir wenu ddwetha pan 'nes i gardyn Sul y Mamau o'dd yn gweud bod fi'n caru hi er bod hi'n gwisgo pyrffiwm sy'n arogli fel bwyd fish. O'dd hynny sbel 'nôl. Dyw hi ddim wedi gwenu'r un peth ers 'ny.

Dwi isie gwbod pam mae *hi*'n gwenu. Achos mae gwenu hi'n neud i nghorff i deimlo'n neis. Dwi'n caru ei gwên hi. A dim jyst ei gwên hi.

Dwi'n caru bod hi 'di penderfynu gwisgo hwdi sy'n rhy fawr iddi.

Dwi'n caru'r un freckle sy 'da hi ar bwys ei llygad dde.

Dwi'n caru'r llyged brown tywyll.

Dwi'n caru'r earrings smiley face sy 'da hi, ac yn edmygu ei dewrder yn ca'l gyment o piercings.

Dwi isie gwbod ei henw hi.

"Helô, beth yw enw ti?"

A mae hi'n edrych arna i ac yn gweud, "Ym…"

A mae hi wedyn yn edrych ar Robyn mewn piws, a mae

e'n gweud, "Gens, dyma…" Dyw e ddim yn gwbod enw fi achos dwi heb weud. "Oh my god, sori, be ydy enw chdi?"

"Tim."

"Gens… Dyma Tim. Ma Tim yn newydd."

Ac o mlân i mae hi sy'n neud i'n llyged i grynu, a fe sy'n gwisgo piws, ac un hi arall sy'n gwisgo sgarff rili neis rownd ei phen, ac un hi arall sy'n iste mewn cader olwyn. Dwi ddim yn gwbod pam bod hi'n iste mewn cader olwyn. Maen nhw i gyd yn edrych ar ei gilydd, a dwi jyst isie gwbod.

"Pam bod ti'n iste mewn cader olwyn?"

A mae Robyn a hi â'r sgarff yn gasbio, a mae hi â'r wên neis yn edrych arna i – dwi'n meddwl bod ei llyged hi'n hooked arna i 'fyd, mae hwnna'n neis – a wedyn mae hi yn y gader olwyn yn gweud,

"Ma'n OK, guys. Dwi'n lico'i directness e. Neis cwrdd â ti, Tim."

Dwi'n deall hi'n siarad. Mae hi'n cŵl.

"Tami dwi. Dwi o'r de 'fyd."

Tami. Er bod hi'n eistedd i lawr dwi'n teimlo bod hi'n dalach na fi, 'da'i llais cryf a'i llyged cynnes. A falle bod hi'n dalach, sai'n gwbod. Dwi'n sylwi ar ei chap sy'n gweud 'annibynnol', a dwi'n penderfynu falle bod Tami yn rhywun gallen i fod yn ei hofni. Ond os yw Robyn yn ffrindie 'da hi... Cyn i fi allu gofyn i Tami pam dyw hi ddim wedi ateb fy nghwestiwn i,

"Nawn ni helpu chdi i setlo. Aniq dwi." Mae hi'n cŵl 'fyd.

Aniq. Mae 'da hi lais meddalach, a dwi'n lico'r ffordd mae hi'n linco'i braich gyda braich Robyn, ac yn cyffwrdd ag ysgwydd Tami, er dwi ddim yn hoffi pobl yn cyffwrdd â fi fel'na. Mae jyst rwbeth pur amdani, a mae hi'n gwisgo ryw byrffiwm melys, dwi bron yn gallu blasu fe.

A wedyn dwi'n edrych arni hi. Dyw hi ddim yn gwenu ddim mwy. A mae hi'n edrych bach yn ofnus ohona i.

"Beth yw enw *ti*?" dwi'n gweud.

Mae hi'n dawel ond yn edrych arna i ac yn gweud, "Cat."

Dwi'n lico'r enw yna lot. Y peth arall dwi'n rili lico amdani yw ei gwallt hi. Mae e bron yn sbarclo. A dwi'n teimlo'n ddigon agos, ond ddim mewn ffordd creepy, i allu arogli'i gwallt hi. Mae'n arogli fel y sebon coconut o'dd yn nhŷ Mam-gu.

"Dwi'n rili lico gwallt ti."

Mae pawb yn chwerthin ychydig bach, a dwi ddim yn deall pam, ond dwi ddim isie dianc am ryw reswm. A wedyn mae Robyn yn ei biws yn gweud, "Robyn dwi, by the way."

"Dwi'n gwbod." Ond dwi dal ddim yn gwbod yn iawn os mai fe neu hi yw e. Mae rhai merched yn ca'l yr enw Robyn gan eu rhieni nhw.

"Fe neu hi wyt ti?"

A mae e'n neud y chwerthin oren yna eto sy'n neud i fi chwerthin hefyd. Dwi heb chwerthin fel hyn o'r blân.

"Dwi'n licio'i directness o hefyd. Fo dwi. Mab, nid merch Bobby o *Queer Eye*."

Dwi'n casáu celwydde.

"Wedest ti bod Bobby o *Queer Eye* ddim yn dad i ti."

Yn sydyn… swn.

Pobl yn symud. Swn. Mae e'n swnio'n debyg i rwbeth. Swnio fel cloch.

Pobl.

Ie, cloch.

Swn. Symud.

Cloch newydd. Cloch anghyfarwydd.

Uchel. Rhy uchel. Uwch na cloch fy hen ysgol. Uwch na gweiddi Robyn.

Earplugs.

Ond… Mae'r swn yn stopo.

A mae'r pedwar ohonyn nhw'n edrych arna i.

Ond dwi jyst yn meddwl am sut mae swn cloch Ysgol Gyfun Llwyd yn wahanol i'r un yn fy hen ysgol. Mae ofn y sŵn newydd arna i, ofn yr ysgol newydd. Mae'r pedwar yn edrych arna i yn penlinio ar lawr, ac yn gweld mod i'n ofnus.

"Ti'n OK?" mae Cat yn gofyn ac yn cyffwrdd â'n ysgwydd i.

Fel arfer pan mae rhywun yn cyffwrdd â'n ysgwydd i mae'n golygu bo' fi'n hito nhw ond dwi ddim yn hito Cat. Dwi jyst yn nodio. A dwi'n gweld ei bod hi'n deall, yn deall bod nodio fi'n meddwl bo' fi'n OK.

Mae hi'n bum munud i naw. Ac mae rhaid i fi adel mewn dwy funud.

"Ti on board efo'r Loners?" ac yna mewn American accent, "Are you in, or out?" Dwi'n lico llais Robyn yn well pan mae'n neud American accent ond dwi isie gwbod beth yw'r lifehack cyfrinachol.

"Beth yw'r lifehack cyfrinachol?"

A mae Robyn yn edrych ar Tami, Aniq a Cat, a maen nhw i gyd yn nodio.

"Cofia, 'dan ni ddim yn rhannu hyn efo pawb. Y lifehack cyfrinachol ydy…"

Dwi'n crynu eto.

Mae syrpreisys yn ormod.

Crynu.

A dwi'n cofio am Dad yn dod ag anrheg annisgwyl

mewn bocs mawr i fi, ond o'dd e wedi anghofio bo' fi'n lico anrhegion fi ddim wedi lapio'r holl ffordd, fel bo' fi'n gallu gweld be sy tu mewn (rheswm arall i fod yn suspicious ohono fe). 'Nes i grynu lot, a chrio, a gweiddi, a sgrechian, a smasho teledu ond wedyn na'th ci rili ciwt ddod mas o'r bocs ac o'n i'n iawn. Rex o'dd e. Dwi'n meddwl ges i Rex fel anrheg achos dwi'n awtistig. Ges i e fis ar ôl y diagnosis. Dwi'n caru Rex.

"Aros gyda'n gilydd."

Dyna i gyd? Dim pŵer neu hud? Aros gyda'n gilydd. Mae hynny'n hawdd.

"Are you in, or out?"

A mae'r bobl o'dd yn symud i sŵn cloch fy ysgol newydd i gyd wedi mynd i mewn i'r adeilad, a dim ond y pump ohonon ni sy ar ôl, ac er bod y lifehack cyfrinachol yn bach o anti-climax dwi'n gweud, "I'm in." American accent fi lot gwell. "Ond ni angen enw gwell."

"Cheeky." A mae Robyn yn gofyn, "Unrhyw un yn attached i Loners fel enw?" A mae Cat, Aniq a Tami'n edrych ar ei gilydd cyn ysgwyd eu penne. "Be ti'n awgrymu 'ta, Tim?"

Ac achos do's dim amser a dwi angen mynd, dwi'n gweud, "Y Pump." Achos mae pump ohonon ni.

A maen nhw i gyd yn gwenu, a Robyn yn gweud, "Y

Pump. Reit. Yn sydyn. Cyn i Mr Roberts weld ni."

Dwi'n gobeithio bydd Mr Roberts mor neis â Mrs Marŵn. O'dd hi *yn* neis, dwi'n colli hi a dwi'n meddwl bydd hi'n colli fi, siŵr o fod, achos na'th hi grio ar ddiwrnod ola fi. Ond falle o'dd hynna achos o'dd Mam yn rhegi arni.

A maen nhw i gyd yn rhoi eu dwylo nhw i mewn i'r canol, fel Power Rangers.

Ni fel Power Rangers Cymraeg!

A mae dwylo pawb i mewn heblaw am rai fi.

Maen nhw'n edrych arna i.

Ac yn araf, er bod arna i ofn… dwi'n meddwl am lyged Rex, dwi'n meddwl am wên Mam, dwi'n meddwl am gyffyrddiad Cat, dwi'n anadlu mewn a mas… A dwi'n dewis bod yn ddewr.

Dwi'n rhoi fy llaw i mewn i'r canol gyda fy ffrindie newydd.

3

'NES I GYRRAEDD swyddfa'r ysgol ar amser. Stres drosto, ond y chwys yn dal ar fy nhalcen, a dwi dal ddim yn siŵr be mae 'bydi' yn meddwl. Ond hyd yn hyn, mae Robyn wedi dod gyda fi i'r Swyddfa, i helpu fi i lenwi ffurflenni cofrestru, er bo' fi ddim angen ei help e, ac wedi mynd â fi ar daith o gwmpas yr ysgol. Pan dwi'n mynd i rywle newydd dwi jyst angen gweld pob man, deall ble mae pob man, pob cornel, pob dosbarth, pob toilet. O'dd Robyn ddim yn meindo achos, "Dwi'm yn licio dosbarth cofrestru fi. Ma hyn yn reswm da i osgoi o."

Er mwyn cyrradd pob man, mae rhaid mynd drwy'r coridore. A dwi ddim yn meindo'r coridore adeg cofrestru achos maen nhw'n dawel.

A'r stafell ola ry'n ni'n cyrradd yw hoff le Robyn a gweddill y Pump: y bistro.

"Fan hyn 'dan ni'n byw."

"Chi'n *byw* yn yr ysgol?" A mae e'n chwerthin ar y

cwestiwn, cyn gofyn cwestiwn ei hun,

"Ti'n awtistig?"

"Ydw."

A mae e jyst yn gweud… "Cŵl."

Dwi'n cŵl?

"O'n i'n edmygu chdi'n, ym, bod yn rili direct efo fi a'r genod gynna, yn gofyn pam bod Tami mewn cadar olwyn, ac os o'n i'n fo neu hi."

"Dwi ffaelu helpu fe."

"Dwi'n edmygu chdi. Ti'n class."

Dwi'n cŵl, mae e'n edmygu fi a dwi'n class. "Ti'n meddwl bod Cat yn meddwl bo' fi'n cŵl a class?"

"Rhaid i chdi ofyn iddi hi. Reit, ma'r gloch yn mynd i ganu mewn munud. Barod?" A dyw'r gloch ddim yn canu mewn munud, mae'n canu mewn dau ddeg un eiliad. Dwi'n dychryn ond dwi'n OK, achos dwi gyda Robyn. A mae e'n rhybuddio fi bod y cordidore'n mynd i fynd yn brysur, a bod e'n casáu'r coridore, a dwi'n gweud, "A fi."

A dwi jyst yn meddwl… dwi'n meddwl os bydde ffawd yn *actual* peth, bydden i'n credu bod ffawd wedi dod â Robyn a fi at ein gilydd. A hefyd, mae e'n bod yn onest 'da fi yn barod. Dyw e ddim *wir* yn dymuno am dad newydd fel wedodd e. Mae e'n caru ei dad e. A dwi'n gweud bo' fi'n suspicious o nhad i, a mae e'n meddwl falle mai fi yw'r un sydd isie neud wish am dad newydd. Dwi'n gweud "No way" a ni'n dau'n chwerthin oren 'da'n gilydd. Ni'n dechre deall ein gilydd. Dwi'n parchu fe. Robyn yw'n ffrind gore i nawr.

A mae'r coridore wedi llenwi ac wedi prysuro a mae llwyth o bobl, lot o sŵn, a lot yn edrych arna i, a wedodd Mam bydde pobl *yn* edrych arna i jyst achos bo' fi'n newydd a *nid bai fi yw e*.

Mae'r sŵn yn mynd yn uwch ac yn uwch, felly dwi'n nôl fy earplugs a'u rhoi nhw i mewn i nghlustie.

Ac yn sydyn, mae Robyn a fi'n cerdded mewn tawelwch drwy'r dorf.

Dyw e ddim yn dawelwch llwyr ond mae'r tawelwch yma, gyda'r earplugs newydd, a'n ffrind gore newydd, mewn ysgol newydd, llawn pobl newydd, yn teimlo'n... Dwi'n teimlo fel tasen i'n floato (dwi ddim *actually yn* floato). Dwi'n teimlo'n saff. Dwi'n teimlo mod i am fod yn OK fan hyn.

Ac yn y tawelwch a'r cerdded, mae Aniq yn ymuno â ni, gyda high-five i Robyn a gwên i fi, a mae Tami'n ymuno ac yn gofyn i Aniq gario mlân i wthio ei chader olwyn, a Cat...

Ble mae Cat? Dwi'n tynnu fy earplugs mas, trio ngore i ddelio â'r gweiddi a'r chwerthin a'r holl siarad, a dwi'n gofyn mewn panig, "Ble ma Cat?"

A mae Tami'n gweud, "Chill out, babes. Ma ddi'n aros amdanon ni'n y wers gynta." A gwers Gymraeg yw'r wers gynta, a dwi'n gwbod lle mae hynna achos na'th Robyn ddangos i fi gynne, a dwi'n rhoi'r earplugs 'nôl yn fy nghlustie ac yn rhuthro drwy'r dorf gan adel Robyn, Aniq a Tami.

Dwi'n cerdded drwy'r coridore ar ben fy hunan.

I'r chwith heibio'r neuadd, yn syth mlân heibio'r Adran Wyddoniaeth, i'r dde at yr Adran Fathemateg, heibio dau ddosbarth Mathemateg, i'r chwith, syth mlân heibio swyddfa Sian y cwnselydd (dwi heb gwrdd â hi 'to) a swyddfa Mr Roberts y prifathro (dwi heb gwrdd â fe chwaith!), wedyn troi i'r dde'n siarp a chario mlân heibio'r Adran Saesneg ac i fyny'r grisie, fyny grisie, fyny grisie.

Adran Gymraeg.

Ond dwi ddim yn gwbod pa ddosbarth.

Un wrth un dwi'n mynd heibio dryse'r dosbarthiade ac yn edrych drwy'r ffenestri bach sydd yn y dryse.

Dim Cat…

Dim Cat…

Dim Cat…

Un ar ôl…

A cyn i fi gyrradd drws y dosbarth ola…

"Tim!" Llais Robyn mas o wynt. "Tim, yn y dosbarth yma wyt ti, yr un yma efo fi. Ty'd. 'Dan ni'n hwyr."

A dwi'n casáu bod yn hwyr, felly dwi ddim yn edrych drwy ffenest y drws ola, ac er bo' fi'n grac nawr achos bo' fi heb weld drwy ffenest y drws ola dwi'n rhuthro at Robyn ac yn mynd i mewn i fy nosbarth cynta yn Ysgol Gyfun Llwyd.

HHt

Er bo' ni'n hwyr, mae'n debyg bod Miss Jones, yr athrawes Gymraeg, yn hwyr 'fyd, sy'n neud fi'n fwy crac. A dwi ffaelu stopo meddwl am Cat, a gobeithio bod hi'n OK. Ond mae Robyn yn tynnu fy sylw o fod yn grac ac yn cyflwyno fi i ddisgyblion eraill Blwyddyn 11.

"So, draw fan'na ma gen ti'r criw Ffermwyr, a ma nhw i gyd yn byw ar fferm, obvs. A draw fan'na ma gen ti'r criw Gwaith Cartra achos os ti angen rhywun i neud gwaith cartra chdi, nhw ydy'r bois – costio though. Wedyn gen ti'r Townies, a wedyn ma gen ti… y Slayers. Y populars, meddwl bo' nhw'n influencers, ti'bo. Ma nhw'n ymddangos yn beautiful ar y tu allan, wedi ennill cystadlaetha 'genod gorjys' yr ysgol, ond Jesus, deep down…"

Galle Cat ennill cystadleuaeth genod gorjys yn hawdd.

"A wedyn yn ola, draw yn y gornel gefn, ma gen ti'r BeiblLads."

A dwi'n gofyn, "Ydyn nhw'n Gristnogion?"

"O na… Far from it, babes. Na'th fideo ohonyn nhw'n neud Parkour mewn dillad nuns fynd yn viral ar sianel YouTube LADbible. Ers hynna, ma 'di mynd i'w penna nhw. A ma nhw'n swnllyd. Ma nhw'n messy. Ma nhw'n fflipin gross. Dwi'n casáu nhw." A dwi'n edrych arnyn nhw, ac yn gweld Llŷr, y bachgen o'dd yn gwisgo'r jwmper Jack Wills.

"Llŷr o'r BeiblLads na'th waco'r smôc mas o llaw ti bore 'ma."

"Ie. So?!" Ac am ryw reswm mae Robyn yn grac. Dwi ddim yn deall pam. Felly dwi'n gofyn, "Ble ma Cat?"

A mae Robyn yn gweud, "Ma hi mewn gwers Saesneg, dosbarth gwahanol i ni."

A gyda hynna, dwi'n tawelu, a dwi ddim yn grac ddim mwy, a dwi'n barod am fy ngwers gynta pan mae dynes gyda lot o freckles a gwallt sinsir, Miss Jones dwi'n meddwl, yn dod i mewn ac yn gweud, "Bore da, a chroeso'n ôl i Ysgol Gyfun Llwyd, bawb."

A dwi'n gweiddi, "BORE *DA*."

4

A NID DIM ond bore da o'dd hi, ond o'dd hi'n ddiwrnod da. Ac o'dd y diwrnod nesa yn rili dda, a'r diwrnod wedyn yn rili rili dda, a basically o'dd fy wythnos gynta yn Ysgol Gyfun Llwyd i gyd yn wych. (Heblaw un foment fach 'da Mr Roberts a Sian y cwnselydd, ond dwi'n penderfynu anghofio hwnna am nawr.)

A dwi ffaelu helpu meddwl i fi fy hunan – mae hyn i gyd yn teimlo fel gormod o gyd-ddigwyddiad i fod yn real. Mae e'n teimlo fel bo' fi actually yn gymeriad mewn llyfr. A mewn llyfrau mae prif gymeriade'n gwneud dymuniadau, a 'nes *i* ddymuniad ar ôl gofyn i Mam, "Ti'n meddwl wna i ffrindie a ca'l cariad dwi isie priodi fan hyn?" A mae e 'di dod yn wir.

Wel, hanner dod yn wir. Sdim 'da fi gariad dwi isie priodi eto.

Ac yn sydyn dwi'n meddwl am Cat, ac yn atgoffa'n hunan bo' fi ddim mewn llyfr. Mae hyn i gyd i *yn* real, a mae Robyn, Aniq, Tami a Cat yn *real*.

Wrth iddi ddreifo fi adre ar y pnawn Gwener, dwi'n meddwl bod Mam wedi synhwyro cyment dwi'n caru...

"Y Pump?"

"Ie, fi dda'th lan â'r enw."

"Gwreiddiol."

A dwi'n ateb, "Dyw e ddim yn wreiddiol. Sdim byd yn wreiddiol."

'There's no such thing as originality, there's just authenticity.' Dyfyniad yw hwn gan Helene Hegemann, awdures o'r Almaen, na'th ddod lan pan 'nes i Gwglo:

A dwi'n gweud wrth fy hunan, wna i Google Search heno ar beth mae prif gymeriad mewn llyfr yn gorfod neud i ga'l cariad. *Cariad*-cariad.

Mae Mam yn parcio'r car ac yn diffodd yr injan, a dwi'n gweld bod hi'n mynd i ofyn cwestiwn, probably'n mynd i ofyn am y cyfarfod na'th hi drefnu i fi gyda Sian y cwnselydd (mae Mam mor predictable yn ddiweddar), ond sdim amser i fi ateb cwestiyne achos dwi wedi addo y bydda i'n ymuno â Snapchat Group newydd Y Pump yn syth ar ôl cyrradd adre. Felly, cyn iddi allu gofyn unrhyw beth, dwi'n rhedeg i mewn i'r tŷ, nôl tri Cheese String a can o Pepsi Max o'r ffrij a rhedeg lan i fy stafell wely.

"Alexa, play Adwaith."

Dwi'n caru Adwaith, ac am unwaith mae Alexa yn deall beth a phwy yw Adwaith. Mae'r gân 'Haul' yn chware, ac yn sydyn mae nghorff i'n teimlo fel mae'r gân yn swnio. Mae e'n teimlo fel bod actual haul yn corff fi (does dim, mae hynna'n hollol amhosib). Perffaith.

Traed lan, ffôn mlân, WiFi connected. A dwi a'r haul yn agor Snapchat.

☹ Y Pump ☺
BRYAN_TAMI
oh heeeeeei bitches

Dwi ddim yn hoffi'r gair 'bitches', na'r gair 'bitch'. Ddim yn hoffi rhegi, full stop. A do'n i ddim wir yn meddwl bod Tami yn berson fydde'n gweud y gair 'bitches'. Ond mae rhai pobl yn siarad yn wahanol ar Snapchat, sy'n fath o gelwydd. A dwi'n casáu celwydde, achos chi ddim *wir* yn bod yn chi'ch hunan pan chi'n gweud celwydd, ond dwi'n kind of gallu ca'l pen fi rownd y syniad yma. Mae'n haws gweud celwydd tu ôl i sgrin. Os bydde Mam ar Snapchat bydde hi'n gallu gweud cyment o gelwydde â bydde hi moyn, achos fydden i ddim yn gweld hi'n rhwbio'i thrwyn.

Dwi byth yn gweud celwydde, ddim hyd yn oed tu ôl i

sgrin. A dwi'n lico meddwl bo' fi'n siarad fel fi ble bynnag ydw i. Dwi'n dechre teipio, "Dwi ddim yn hoffi'r gair…" ond dwi'n dileu e. Dwi ddim yn siŵr pam, falle achos dwi dal isie iddyn nhw hoffi fi? Ni'n amlwg yn ffrindie, ond mae pethe dal yn newydd – dwi dal yn newydd iddyn nhw, a maen nhw dal yn newydd i fi.

A dwi'n meddwl i'n hunan faint o ddyddie'n union fydd 'na nes bydd pethe ddim yn newydd rhyngdda i a'n ffrindie newydd.

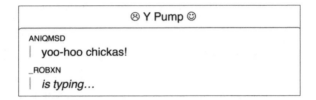

Mae Robyn yn anfon GIF o Beyoncé gyda'r capsiwn 'Who run the world?', felly dwi'n dechre teipio 'gwleidyddion', ond dwi'n dileu e eto. Be sy'n bod arna i? A nawr dwi'n cofio bo' nhw'n gallu gweld bo' fi'n teipio, ac felly'n disgwyl i fi weud rwbeth. Crap. Mae rhaid i fi weud rwbeth. Ond be? Ydyn ni i gyd *fod* i siarad yn wahanol i'r arfer ar Snapchat Group y Pump?

☹ Y Pump ☺
TIMMORG
| Howdy cowboys.

Dim ateb.

A mae rwbeth mor syml â chymryd mwy nag wyth eiliad i ateb neges ar Snapchat yn gallu chwalu'r haul dwi'n teimlo yn fy nghorff i. Dwi'n gweiddi "Alexa, stop music!" a dyma'r crynu'n dod eto.

Ac ar yr un pryd, dwi'n clywed Mam yn gweiddi'n aneglur lawr grisie ac yna Dad yn codi'i lais 'fyd. Dim dyma'r tro cynta iddyn nhw neud hyn. A fel arfer, pan dwi'n mynd lawr grisie maen nhw'n tawelu. A wedyn mae Mam yn gweud bo' nhw ddim yn mynd i ga'l divorce (pob tro'n agos i rwbio'i thrwyn, ond ddim cweit yn neud). Ond dwi'n rhy brysur i fynd lawr nawr.

Felly, dwi'n penderfynu anwybyddu nhw.

Ond dwi ffaelu anwybyddu'r crynu 'ma. Pam wedes i 'cowboys'?! Dy'n nhw ddim yn gowbois! Ond wedyn, dwi ddim yn bitsh, dwi ddim yn chicka a dwi definitely ddim yn rhedeg y byd.

Mae nghorff i isie ffrwydro.

☹ Y Pump ☺
_ROBXN
hahahahahahaha
ANIQMSD
lol
BRYAN_TAMI
😂 😂 😂

Ac yna mae nghorff i'n ffeindo'r canol. Y man canol yw pan dwi yn y lle liminal 'na, a gallen i fynd naill ffordd neu'r llall, fel tasen i ar groesffordd, ar y trothwy – gallen i fynd 'nôl lawr y lôn crynu neu fynd yn syth lan at yr haul.

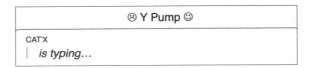

☹ Y Pump ☺
CAT'X
| *is typing...*

Dyma fydd y tro cynta i Cat anfon neges ata i. Dwi 'di anfon sawl llun iddi yn barod – o fy stafell wely, o Power Rangers merchandise fi, llun ciwt o Rex yn cysgu yn ystod yr wythnos, a gyrru emoji gwên upside down iddi ar Messenger, a rhannu linc fideo o ddau banda'n chwerthin (wedodd hi bod hi'n caru pandas) ar Instagram, ond dyw hi ddim 'di ateb 'to. Dwi jyst yn gobeithio dwi heb neud unrhyw beth o'i le...

☹ Y Pump ☺
CAT'X
| howdy partner!

Ac yn sydyn mae'r crynu'n stopo, a mae'r haul yn byrstan mewn a llenwi nghorff i 'to. A dwi'n teimlo mor felyn ac oren, heb reolaeth, a dwi'n dechre chwerthin, yn chwerthin mor uchel dwi'n clywed Mam a Dad yn stopo gweiddi lawr grisie, ac mae llais Mam yn gweiddi, yn feddalach tro hyn,

"Tim, ti'n OK?"

Ond dwi'n rhy brysur yn bod yn gowboi i ateb hi.

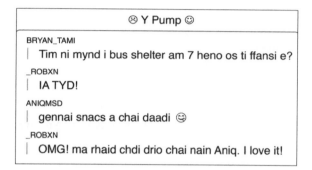

Dwi'n dychmygu Robyn yn gweud "I love it" yn yr American accent 'na.

Maen nhw'n obsessed efo'r chai 'ma. Dwi'n meddwl mai diod poeth yw e. Dwi ddim isie chai, dim ond Pepsi Max dwi'n hoffi yfed wir, ond dwi isie gwbod chai pwy yw e, chai tad neu nain Aniq? A nage plant bach sy'n galw'u tad nhw'n Dadi? (Dwi hefyd isie gweud wrth Aniq bod hi wedi camsillafu Dadi, nid Daadi yw e. Dwi'n dechre teipio ond dwi'n dileu *eto*.) Mae Mam yn gweud bod e'n OK i fi alw hi a Dad yn Mami a Dadi os dwi isie, ond dwi'n cadw gweud mai plant bach sy'n neud hynny, a dwi ddim yn blentyn bach ddim mwy. Ond dyw Aniq ddim yn blentyn bach chwaith.

Dwi'n penderfynu safio cwestiyne fi i Aniq nes dwi'n gweld hi, achos dwi *isie* mynd i'r bus shelter, er sai'n siŵr *pa* bus shelter maen nhw'n sôn amdano. Ond dwi mond am fynd os yw'r pump ohonon ni yna (os yw Cat yna).

☹ Y Pump ☺
TIMMORG
Ti'n mynd heno Cat?
CAT'X
obvs :)

Dwi'n gorwedd 'nôl ar y gwely, a dwi jyst yn gwenu.

Am y tro cynta ers wythnosau, dwi jyst yn gwenu'n llonydd, a dim byd arall.

Mae'r gwenu llonydd 'ma'n teimlo fel gall meditation fod. Mae Mam dal yn siŵr bod meditation yn mynd i allu helpu fi gyda'r diagnosis, er wedodd Doctor Schmitt (y doctor na'th diagnoso fi), "Dyw meditation ddim o reidrwydd am helpu, Mrs Morgan. Mae'n dibynnu ar y person – yn union fel chi a fi." Falle bo' fi yn berson meditation. Ond sai'n meddwl 'ny – mae e bach yn boring ar ôl dau ddeg un eiliad.

Daw wyneb Cat a'r gair 'obvs' 'nôl i fy meddwl. Obvs. Dwi'n caru'r gair 'obvs'. A dwi ffaelu stopo meddwl amdani. Dwi'n meddwl amdani hi'n gweud obvs, drosodd a throsodd.

"Obvs," wrth i ni fynd am dro drwy'r goedwig.

"Obvs," wrth i ni wisgo lan fel cowbois.

"Obvs," wrth i ni rannu Cheese String.

A dwi'n meddwl pa mor agos mae'r Cheese String yn dod â'n wynebe ni, a'n gwefuse ni, at ei gilydd. A dwi'n teimlo crynu, ond nid *y* crynu, ond crynu neis. Dwi heb sôn am y crynu neis 'ma o'r blân. Dyw e ddim yn digwydd yn aml. Ond dwi'n ca'l crynu neis weithie. Mae e'n teimlo'n rili neis. A dwi 'di trio siarad â Dad amdano fe, ond mae e'n chwerthin bob tro dwi'n gofyn, a gweud rwbeth fel, "Jyst paid â chware 'da fe o flân pobl."

Un tro 'nes i ofyn, "Be dwi actually fod i neud?" a gofynnodd e, "So'r ysgol 'di bod drwy hyn 'da chi?" a 'nes i ysgwyd fy mhen cyn iddo fe weud wrtha i am edrych lan 'masturbation' ar Wikipedia. Ac ers 'ny, dwi'n gwbod be i neud pan dwi'n ca'l y crynu neis.

Crap.

Yn sydyn dwi'n jwmpo ar fy nhraed, a'r crynu'n neis yn diflannu, ar ôl clywed dwy gnoc galed ar y drws. Mae *dwy* gnoc yn golygu bod rhywun – Mam – yn dod mewn i ga'l *chat*. A dwi isie taflu Xbox controller fi arni am ddychryn fi fel'na! Ond pan mae hi'n cerdded i mewn dwi'n clywed hi'n llyncu'n galed, a dyna beth na'th hi tro dwetha ar ôl iddi fod yn crio. Felly, dwi'n rhoi'r Xbox controller i lawr a gofyn,

"Ti 'di bod yn crio?"

"Naddo siŵr." A mae hi'n rhwbio'i thrwyn cyn gofyn, "Sut a'th y cyfarfod 'da Sian?"

A cyn ateb dwi'n edrych arni, a meddwl i fi'n hunan dwi isie deall pam bod hi'n gofyn y cwestiwn fel mae hi, heb i fi orfod gofyn iddi. Mae hi'n edrych arna i fel mae Rex pan mae e'n begian am fwyd neu fynd am dro. Ydy Mam yn begian? Pam fydde Mam yn begian? I fi weud bod popeth wedi mynd yn wych 'da Sian? Achos os dyna beth mae hi moyn, bydden i'n gweud celwydd. Dwi'n casáu celwydde. A dwi erioed 'di gweud celwydd wrth Mam.

₩

O'n i fod yn y wers Gelf – pam mae popeth gwael yn digwydd amser gwers Gelf? – ac o'dd Tami ac Aniq 'di bod yn gweud bydden i'n caru Ms Blake Celf. Mae pawb yn galw hi'n Lea, a mae hi'n gadel i bobl dynnu llunie o beth bynnag maen nhw moyn, achos apparently mae hi'n credu, ac yn gweud e'n eithaf aml, mai "Celf ydy rhyddid, a rhyddid ydy celf – dach chi'n dallt be dwi'n feddwl?" Sai wir yn 'dallt' be mae hi'n feddwl i fod yn onest. Ond dwi'n rili gyffrous am dynnu llunie o Power Rangers eto, neu falle llun o Cat a finne. Ac Aniq, Robyn a Tami, falle.

Ond ches i ddim gwers Gelf yn fy wythnos gynta yn Ysgol Gyfun Llwyd, achos o'dd Mam wedi bwco i fi ga'l sesiwn 'da Sian y cwnselydd am 1.40pm. Felly, o'n i'n crynu yn barod, a dim y crynu neis, ond y crynu 'na pan dwi isie smasho rwbeth.

A rwbeth o'dd yn neud i fi fod isie smasho pethe yn fwy na dim byd o'dd y ffaith bo' fi'n aros tu fas i swyddfa Sian yng nghoridor yr ysgol am o leia tair munud heibio fy slot amser. A 'nes i benderfynu, pan fydde'n ffôn i'n gweud 1.44pm bydden i'n byrsto i mewn i swyddfa Sian ac yn gweiddi,

"Chi'n gwbod bo' chi'n sbwylo wythnos gynta fi?! Dwi'n colli'n hoff bwnc i achos chi!"

Ond do'dd dim rhaid, achos da'th bachgen – lot llai na fi – mas o'r swyddfa, a stopo reit o mlân i. A ro'n i ffaelu helpu sylwi ar ei gyrls du, achos o'n nhw'n atgoffa fi o gyrls Rex, ac o'dd 'da fe fidget spinner aur gyda gole arno fe.

Na'th e edrych arna i 'fyd, yn yr un ffordd ag o'n i'n edrych arno fe, cyn gweud, "Dwi'n licio sgidia *Deadpool* chdi."

Fe o'dd y person cynta i weud unrhyw beth am fy sgidie *Deadpool* (sai byth yn gwisgo unrhyw sgidie eraill, a pan fydd rhain wedi'u difetha, dwi am brynu'r un rhai 'to).

"Ti'n lico *Deadpool*?"

Na'th e nodio a gweud, "Yndw. Ond dwi'n licio *Doctor Who* mwy."

Sai'n lico *Doctor Who*, ond 'nes i ddim gweud 'ny wrtho fe achos o'n i'n rhy brysur yn sylwi ar ei got *Doctor Who* a wedyn 'nes i sylwi ar y ffordd o'dd e'n sefyll, a'i gefn 'di plygu rhywfaint, ac o'dd e'n atgoffa fi o rywun.

Yr eiliad yna na'th e nharo i. Mae e'n atgoffa fi o *fi*. Jyst fi pan o'n i'n llai.

O'n i'n gwenu, ac yn meddwl, mae gyda fi *gyment* dwi isie gweud wrtho fe. Ond o'n i ffaelu ca'l y geirie mas.

Felly na'th e ofyn, "Be 'di enw chdi?"

Cyn i fi allu ateb, na'th Sian y cwnselydd ateb drosta i o'i swyddfa, "Tim Morgan?"

Sylwes i bod hi'n 1.45pm, felly rhuthres i mewn a hanner gweld Sian yn dechre codi ar ei thraed gyda gwên fawr a gyms mwy, ond rhuthres i'n ôl at y drws achos o'n i 'di anghofio gofyn i'r bachgen sy'n llai na fi beth o'dd ei enw fe, pa flwyddyn o'dd e ac os o'dd e isie gwylio *Black Panther* 'da fi wythnos nesa. Ond pan 'nes i gyrradd y drws, o'dd e 'di mynd.

'Nes i droi'n ôl a dychryn rhywfaint, achos o'dd Sian a'i gyms reit yn fy wyneb i. "Tim. Ti'n dod mewn?"

Es i mewn ond 'nes i ddim eistedd.

Na'th y bachgen llai na fi lwyddo i dawelu'r crynu, ond

do'dd e ddim yn bell. O'n i dal ddim yn bell o fod isie smasho rwbeth. Ac o'dd e'n drueni, achos o'n i'n rili hoffi swyddfa Sian. Mae un cornel sydd â llwyth o gwshins amryliw, ac o'n i jyst isie jwmpo arnyn nhw, ond 'nes i ddim. Ac ar ei desg o'dd bocs llawn o'r chews Fruit Salad – dwi'n eitha lico nhw felly 'nes i gymryd un – a hefyd mae un wal â llun enfawr o ddraig goch Cymru arni, ac o'n i'n cnoi'r Fruit Salad 'da gwên fawr jelys (dwi isie'r llun i'n llofft i).

O'n i'n teimlo'n felyn fel haul Adwaith 'to, a wedyn da'th llais Sian. "Ma'r ddraig yna'n fawr, tydy? Ond ma 'na lot fwy i'r ddraig na hynna, does?"

Ac wrth i fi gerdded o gwmpas y swyddfa a chnoi'r Fruit Salad – o'dd yn cymryd lot rhy hir i'w gnoi i gyd – o'dd Sian yn gweud wrtha i pa mor anodd gall newid fod, a'i bod hi'n gallu helpu rhywun i ddelio â newid mawr mewn bywyd, "Hyd yn oed os dwi jyst yn glust."

O'dd hynna ddim yn neud synnwyr. Ti ffaelu *bod* yn glust. A dechreues i deimlo'r crynu 'to, felly 'nes i benderfynu bod angen ffeindo ffordd mas o'r sesiwn 'ma.

"Chi ffaelu *bod* yn glust. A dwi ddim angen help."

Codais fy mag a dechre cerdded am y drws.

"Jyst gwna *un* dasg efo fi?"

Na'th ei chwestiwn hi stopo fi rhag cerdded, a neud i fi feddwl am Mam. Do'n i ddim isie i Mam glywed bo' fi heb wneud unrhyw beth yn y sesiwn. Felly, 'nes i benderfynu do'dd *un* dasg ddim yn swnio'n rhy ddrwg.

Rhoddais fy mag yn ôl ar y llawr. "A ga i fynd wedyn?"

Nodiodd Sian, heb gyms.

"OK." Ac eisteddais.

"Dwi'n gofyn i bawb neud hyn." A dyma hi'n rhoi darn o bapur ac arno fe'r frawddeg anorffenedig, 'Dwi yn ___'

Edrychais i arni. A da'th y gyms yn ôl wrthi iddi wenu arna i a gweud, "Y dasg ydy, i ti orffen y frawddeg, OK?"

A 'nes i feddwl, dyna'r dasg? 'Nes i chwerthin, ac o'dd y chwerthin yma'n teimlo'n biws gole, achos o'dd y dasg *mor* hawdd. O'n i'n gwbod yn iawn pam o'n i yna. O'n i'n gwbod pam bo' Mam wedi bwco'r sesiwn. 'Nes i ddewis beiro, er bod pensil i ga'l, a 'nes i sgwennu:

'Dwi yn <u>awtistig</u>.'

Dyna ni. Un dasg. Wedi'i chyflawni.

'Nes i roi'r darn o bapur 'nôl i Sian a chodi ar fy nhraed yn barod i adel, ond sylwais ar ei gwên hi'n newid, fel tasen i wedi rhoi ateb anghywir.

"Ti'n siŵr ti 'di gorffan?" O'n i ddim yn hoffi'r ffordd o'dd Sian yn gofyn hyn.

Crynu. O'n i 'di neud y dasg. Crynu.

"Oes 'na fwy i'r frawddeg 'ma?"

Do'n i ddim yn hoffi bod Sian yn agosáu ata i.

Crynu. O'n i 'di neud y dasg. Crynu.

"O! Dyma fo, Tim Morgan!" Yn annisgwyl da'th dyn bach, o'dd yn edrych bach fel wmpa lwmpa, i mewn i'r swyddfa.

Crynu. O'n i 'di neud y dasg. Crynu crynu crynu.

"Dim rŵan ydy'r amsar gora." O'dd Sian yn ceisio stopo'r wmpa lwmpa rhag dod ata i.

Crynu isie smasho rwbeth. *Crynu.*

"Ond dwi heb ga'l cyfla i gyflwyno'n hun i'r hogyn eto." A dyma'r wmpa lwmpa'n agosáu ata i.

Crynu, mynd i smasho rwbeth, crynu.

Ac o'dd e'n lot rhy agos ata i pan wedodd e, "Tim, gad i fi gyflwyno'n hun i chdi, dy brifathro newydd, Mr Roberts."

Ac o'n i isie gweiddi, "DWI 'DI NEUD Y DASG A DWI DDIM ISIE SMALL TALK!" ond 'nes i ddim.

A 'nes i ddim smasho unrhyw beth chwaith.

Tro 'ma…

'Nes i ddianc. Ond nid dianc *go iawn.* O'n i dal yn y swyddfa. Ac erbyn hyn, o'dd Sian a Mr Roberts fel tasen nhw'n dadle mewn slo-mo silent movie, achos o'n i wedi penderfynu peido gwrando.

Dyna sy'n digwydd pan dwi'n dianc i *mewn* i'n hunan.

Er mod i isie smasho pethe a gweiddi, weithie mae

rhyw bŵer yn cymryd fy nghorff i drosto. Dwi'n colli rheolaeth o nghorff i, yn union fel pan dwi *yn* smasho pethe. Ond mae'r colli rheolaeth *yma* yn teimlo'n sbesial i fi, a dyma pam dwi'n hoffi Power Rangers a Marvel, achos mae'r dianc 'ma yn bŵer i fi, sy'n gwarchod fi ac unrhyw un sydd o nghwmpas i.

Na'th y dianc i mewn i'n hunan neud i fi deimlo'n goch, mor goch nes i fi orfod troi at yr unig beth arall coch yn y stafell. 'Nes i droi at y ddraig goch, ac o'n i ffaelu helpu'n hunan rhag dychmygu dianc o'r swyddfa ar gefn y ddraig fawr, yn hedfan ac yn canu 'Hen Wlad Fy Nhadau' wrth deithio at y cymyle – a gweddill y Pump a Rex yn aros amdanon ni ar gwmwl pinc gyda bottomless Pepsi Max i bawb.

(Dwi'n gwbod bydde hynny byth yn digwydd. Obvs. Ond o'dd e'n lle neis i fod am damed bach.)

O'n i mor falch pan adawodd Mr Roberts, ac yn fwy balch pan roddodd Sian chwe Fruit Salad i fi fynd adre 'da fi, cyn gweud,

"Ddoi di'n ôl?"

Ac er mod i'n teimlo'n well, ac erbyn hyn *yn* ystyried gweld Sian eto, o'n i dal ryw 12% wedi dianc i mewn i'n hunan. Felly wedes i ddim byd. A na'th Sian sŵn. Sŵn o'dd yn swnio fel siom.

Ac yn y foment yna, 'nes i feddwl dyw'r rhan fwyaf o bobl, a Sian, a hyd yn oed Mam ddim yn meddwl 'run peth â fi weithie, a ddim yn gweld y dianc i mewn i'n hunan fel pŵer. A mae hynna'n anodd.

Felly. Nôl fy mag. Cerdded mas.

Anadlu. Mewn a mas.

Ac yna ailadrodd geirie mae Mam wastad yn gweud wrtha i: "Nid bai ti yw e."

Ond o'n i'n gwbod mod i'n gweud celwydd wrtha i'n hunan, achos fy mai o'dd e. A fy mai i yw e bo' fi fel hyn.

卌

Mae Mam yn fy nhynnu i'n ôl i'r stafell wely, ac yn gofyn eto, "Tim, sut a'th hi 'da Sian?"

Anadlu.

Mewn a mas.

Dwi'n casáu celwydde.

Dwi byth yn gweud celwydd.

Dwi erioed 'di gweud celwydd wrth Mam.

Ond dwi'n cofio Aniq amser cinio dydd Iau yn gweud am Ceinwen o'r Slayers o'dd yn cadw chwerthin am ei phen hi drwy Flwyddyn 10 i gyd, bob amser egwyl, bob amser cinio, ac ar y ffordd adre o'r ysgol bron bob dydd, ac Aniq yn penderfynu peido gweud wrth ei thad (mae Aniq yn cadw galw fe'n Abba – dyna'i enw fe, dwi'n meddwl): "O'dd o jyst yn haws deud clwydda wrtho fo weithia, o'dd o mewn digon o boen fel o'dd hi ar ôl i ni golli…" Ac o'dd Aniq ffaelu gorffen ei brawddeg. Felly, 'nes i roi cwtsh iddi. A dwi byth yn rhoi cwtshys.

Dwi'n meddwl am beth wedodd Aniq, a dwi'n meddwl falle bod Mam mewn poen 'fyd. Nid poen fel poen Abba, tad Aniq, ddim o gwbl, ond poen gwahanol. A dwi 'di gweld Mam fel hyn ambell waith, dwi 'di clywed y llyncu caled sawl gwaith ers i fi ga'l y diagnosis. Ond, am ryw reswm, dwi jyst ffaelu gofyn iddi os ydy hi mewn poen achos *fi*, achos bo' fi'n awtistig.

Felly dwi'n penderfynu, am y tro, ei bod hi *angen* i fi weud celwydd wrthi.

A ta beth, os dwi'n gweud y gwir wrthi, falle fydd rhaid i fi symud 'to, a dwi *ddim* isie gadel fan hyn, na gadel Aniq, Tami, Robyn, a'n enwedig Cat.

"O'dd e'n wych, Mam."

"Wir?!"

A dwi'n teimlo celwydd arall yn dod.

"Dwi'n edrych mlân i'r sesiwn nesa." Dwi definitely *ddim* yn bwriadu mynd i sesiwn arall, yn enwedig ar ôl sŵn siom Sian.

"O, grêt."

Yn yr eiliad yna, dwi'n gwylio'r haul yn byrstan mewn i gorff Mam (dim haul go iawn, obvs), a mae'n ymennydd i'n gweud wrtha i bo' rhaid i fi bellhau'n hunan oddi wrth Mam nawr. Mae'r syniad o fod gyda Mam, a gwbod bo' fi wedi gweud celwydd wrthi, yn ormod.

Dwi isie dianc. A dim dianc i mewn i'n hunan. Ond *dianc*-dianc.

Dwi'n gweiddi ar Rex i ddod ata i. Dwi angen mwytho fe. Mae e'n cyrradd o fewn pedair eiliad.

Ac wrth i Rex gyrradd fy nghôl i dwi'n cofio bod 'da fi gyfle i ddianc am ychydig orie heno. Mae Mam yn dechre gadel y stafell wely, a chyn iddi ga'l cyfle i ofyn pa ffilm dwi moyn gwylio heno (ni 'di bod yn neud hynny bob nos Wener ers dwi'n chwech oed, ers deg mlynedd – waw), dwi'n gofyn, "Ydy Dad yn gallu mynd â fi i'r bus shelter at y Pump heno?"

Mae Mam yn stopo, cyn gweud gyda gwên ddu – gwên sy ddim yn teimlo'n real, "Bus shelter? Pryd?"

"Angen bod 'na erbyn saith."

"A' i â ti." A mae hi'n dechre gadel.

"Na. Dwi isie Dad fynd â fi." Er mod i dal bach yn suspicious ohono fe, dwi ddim wedi penderfynu pellhau'n hunan oddi wrtho fe. Ond gyda Mam, dwi wedi. Felly, os dwi am bellhau'n hunan, mae rhaid i fi neud e'n iawn, gan ddechre nawr.

Mae Mam a'i gwên ddu yn gadel.

5

DWI'N MEDDWL FALLE mai hwn yw'r bus shelter mwya beautiful dwi erioed 'di gweld. A falle bod e'n fwy beautiful achos bod e wrth y môr, a mae 'Lan y Môr' gan Adwaith yn chware'n ddigon tawel ar ffôn Robyn (cyd-ddigwyddiade'n cadw digwydd, on'd y'n nhw?), a dwi a Rex 'ma gyda fe, ac Aniq, Tami a'r ferch dwi wedi ffaelu stopo meddwl amdani.

Cat.

Obvs.

Ac wrth i Cat strôco Rex, dwi'n yfed Pepsi Max – do'n i ddim am drio chai nain Aniq. Dwi wedi deall nawr bod Daadi yn golygu Nain yn Urdu (ac mai fel'na *mae* sillafu Daadi, nid Dadi), ac Abba yw Dad (dim enw ei thad), ac Ammi yw Mam yn Urdu. Mae Aniq yn siarad tair iaith, dwi'n impressed ac yn jelys. Dwi'n yfed Pepsi Max ac yn meddwl falle *gallen* i fod mewn llyfr... Ac os *bydden* i mewn llyfr, dwi bendant yn teimlo bydden i'n gymeriad mewn llyfr rhamant. Mae popeth hyd at y pwynt yma'n cyd-fynd â'r atebion ges i o'n ymchwil ar Google:

> 🔍 **How do people fall in love in novels?**   ✕ | ⌨

A'r cam nesa yw mod i angen bod ar ben fy hunan 'da Cat, er mwyn gofyn iddi fod yn gariad i fi. Ac er mod i isie gofyn iddi briodi fi'n syth, "Cam wrth gam," ddywedodd Dad yn y car ar y ffordd yma. A wedodd e 'ny mewn llais gwyrdd, gwyrdd, o'dd bach yn wobli. Dwi'n meddwl o'dd e'n nyrfys. Achos sai'n meddwl o'dd e'n disgwyl i fi ofyn iddo fe ddreifo fi, achos Mam sy'n mynd â fi i bobman fel arfer. Ond sai isie i Dad fod yn nyrfys gyda fi. A dwi'n meddwl i'n hunan, oes angen i fi fod yn llai suspicious ohono fe? Dyw e heb *wir* neud unrhyw beth. Ond dyna'r broblem, ife? 'Nes i ateb "Dwi'n gwbod 'ny, obvs" a na'th y ddau ohonon ni chwerthin, achos sai erioed wedi gweud 'obvs' mas yn uchel o'r blân. Dyw e ddim yn chwerthin oren, mae'n fwy... brown. Ond wrth chwerthin brown, dwi'n penderfynu mai cam wrth gam yw'r ffordd gyda Dad 'fyd.

A dwi *yn* gwbod mai cam wrth gam dylen i gymryd pethe gyda Cat ond y peth yw, dwi jyst yn gwbod mai *hi* yw'r cariad dwi isie priodi.

Ers dechre yn Ysgol Gyfun Llwyd (dim ond pum

diwrnod yn ôl), mae hi 'di siarad â fi am raglenni *Power Rangers* sawl gwaith, a wedi gweud bod hi'n edmygu'r ffaith bo' fi jyst yn hoffi'r pethe dwi *isie* hoffi, a gweud bo' fi'n authentic. 'Nes i weud bod hynna mor weird achos y Google Search 'nes i'n ddiweddar – "There's no such thing as originality, there's just authenticity." Hefyd ni 'di bod yn chwerthin oren, jyst ni'n dau cwpl o weithie, achos mae hi'n gallu neud i'w wyneb hi edrych fel crwban. Dyw hi ddim yn swil pan mae hi 'da fi. A hefyd, mae Cat a fi'n gallu bod mewn tawelwch neis a ni ddim yn meindo peido neud small talk. Mae hi'n casáu small talk 'fyd. Ni'n debyg.

A nawr dwi'n edrych arni, gyda'r môr y tu ôl iddi a mae gyment mwy o bethe dwi'n caru amdani hi.

Dwi'n caru'r snort mae hi'n neud pan mae hi'n chwerthin ar Robyn ar ôl iddo ollwng chai Daadi Aniq dros ei siôl aur.

Dwi'n caru'r ffordd mae hi'n nodio'i phen pan mae Tami yn sôn am ei llysfrawd Llŷr – mae hi'n rili gwrando.

Mae hi'n rhoi winc wael ar Robyn, sy'n neud iddo gochi. Sai'n siŵr pam, ond dwi'n penderfynu bo' fi'n caru'r ffordd mae hi'n winco 'fyd.

Ond be dwi'n caru fwya amdani yw cyment mae hi'n caru'r môr.

"Dwi isio mynd i mewn."

Yn sydyn, er bod e'n teimlo mor araf, mae hi'n tynnu ei hwdi, ac yna ei jîns, cyn dechre rhedeg am y môr. Mae Tami'n chwerthin ac yn symud ei chader olwyn i weld yn well, mae Aniq yn ysgwyd ei phen a mae Robyn yn gweiddi, "You go, girl!", a dwi jyst yn... yn gegagored.

Mae Cat yn rhedeg am y môr, a Rex ddim yn bell tu ôl iddi. Mae hi'n rhedeg fel petai dyma'r tro cynta a'r tro dwetha iddi ga'l nofio yn y môr.

Mae hi *mor* ddewr.

Mae Cat yn rhedeg i mewn i'r môr.

Dim pellach na'r dŵr yn dod lan at ei phenglinie.

Yna mae hi'n llonydd, yn gwylio'r haul.

A'r pedwar ohonon ni'n dawel bach yn ei gwylio hi, a Rex yn cyfarth.

Mae Cat yn torri ar ein tawelwch ac yn gweiddi-chwerthin, "Mae o mor ffycin oer!"

A dwi'n gallu anadlu eto.

Gan bo' Robyn, Aniq a Tami'n chwerthin, y chwerthin oren 'na, dwi'n ymuno. A ni i gyd yn un chwerthin oren mawr, ac os bydde cŵn yn chwerthin 'sen i'n gweud bod Rex yn chwerthin nawr 'fyd. A dwi isie rhoi amser ar Pause nawr, ond sai'n gallu. Felly, dwi'n penderfynu bo' fi am gofio'r foment yma, am byth, achos *dyma* beth yw y Pump, ife? Ni fel *un*, a do's neb arall yn ein byd ni yn y foment hon. Jyst ni.

Wrth i fi fwytho Rex, a syllu ar Cat, sy'n cerdded 'nôl aton ni'n wlyb socan, dwi'n clywed Aniq yn gweud wrth Robyn, "Paid â grando arnan nhw."

A mae Tami'n gweiddi, "Fuck off, get a life! Twats."

Dyna pryd dwi'n gweld dau fachgen dwi 'di gweld o'r blân – Liam a Garin o'r BeiblLads. Ac mae Liam, y talaf o'r ddau'n gweiddi, "Faggot!" cyn poeri i gyfeiriad Robyn. A dwi'n gwbod dyw'r ddau 'ma ddim yn haeddu bod yn agos i'r Pump. Dwi'n dechre cerdded at y ddau gyda Rex wrth fy ochr.

"Tim, paid, gad nhw fod."

Dwi'n penderfynu peido gwrando ar Robyn.

Dwi'n cerdded at gwestiwn gan Garin, "Be ma'r twat yma isio 'ta?" a dwi'n ceisio dod o hyd i'r ateb, a'r dewrder i ateb. Ond dwi ffaelu. Dwi ffaelu ffeindo'r ateb.

Yn sydyn, mae Cat yn cyrradd wrth fy ochr i ac yn ffeindo'r ateb i fi,

"Isio i chi i fynd. A gadal ni fod."

Mae Liam a Garin yn chwerthin wrth i fi benderfynu gweud celwydd unwaith 'to, achos dwi'n gallu gweud celwydd pan mae *angen* nawr.

"'Na i weud wrth Rex am frathu chi." (Dyw Rex ddim yn brathu.)

Mae'r ddau'n edrych ar ei gilydd ac yn chwerthin 'to.

"Rex. Brathu. Ar ôl tri…"

Maen nhw'n stopo chwerthin.

"Un."

Dwi'n meddwl bo' nhw'n teimlo'n ofnus.

"Dau."

Mae Liam yn poeri arna i ac yn syllu ar Cat mewn ffordd wobli gwyrdd cyn penderfynu poeri arni hithe 'fyd, ac yn sydyn mae'r ddau'n rhedeg i ffwrdd cyn i fi ga'l cyfle i weud 'Tri'.

卌

Na'th Robyn benderfynu bod e isie mynd adre'n gynnar, felly na'th Aniq a Tami weud bydden nhw'n mynd â fe, a bod dim dewis 'da fe. A wedodd Cat bydde hi'n aros 'da fi nes i Dad gyrradd.

Felly nawr, dwi a Cat ar ben ein hunain.

Dwi'n rili dechre credu bo' fi mewn llyfr, mewn llyfr rhamant, achos dyma hi, y foment yn y stori lle bydd Cat a finne'n dod yn gariadon. Dwi'n caru bod mewn llyfr. Ond yn gynta, mae rhaid i fi fod yn ddewr a gofyn iddi, a dim ond tua pum munud sy 'da fi nes bydd Dad yn cyrradd.

"Ti'n rili ddewr."

Ac os bydde pobl *actually* yn gallu darllen meddylie ei gilydd, dwi'n meddwl bydde Cat yn gallu darllen meddwl fi'n hawdd.

"A ti'n lwcus i ga'l Rex."

A dwi'n cofio bo' Rex gyda ni 'fyd, a dwi'n gwbod bod hynny'n meddwl bo' ni ddim ar ben ein hunain, ond mae Rex yn helpu fi i deimlo'n ddewr.

Mae Cat yn dechre gweud, "O'n i lyfio'r fideo o pandas 'nest ti —"

Ond dwi'n torri ar ei thraws hi. "Ti isie bod yn gariad i fi?"

Mae Cat yn nodio fel o'dd hi gyda Tami am ychydig, ond am y bedair munud nesa, ni mewn tawelwch. Dim y tawelwch neis 'na. Dyw fy ymennydd i ddim yn dawel o bell ffordd. Achos dwi rili isie gallu darllen ei meddwl hi. Ydy hi ddim yn ateb achos bod hi angen amser i feddwl? Mae pobl angen amser i ateb weithie, on'd y'n nhw? Ydw i wedi gofyn y cwestiwn mewn ffordd anodd i'w ddeall? Ydy Cat yn fwy swil na dwi'n feddwl? Ie, falle dyna beth yw e.

"Ti'n swil?"

"Ym, dim rili, jyst ym…"

A dwi jyst angen ateb nawr, achos bydd Dad yma mewn llai na munud. Ond dyw hi dal ddim yn gweud dim. A dwi'n dechre credu bo' fi *ddim* mewn llyfr. Felly, dwi'n meddwl am amser, y syniad o amser, a meddwl os bydden i'n gallu troi'r amser 'nôl bydden i'n neud hynny nawr, a trio gofyn y cwestiwn mewn ffordd wahanol.

Ond dwi ffaelu troi amser 'nôl yn y byd 'ma, felly dwi jyst yn gofyn mewn ffordd wahanol.

"Ti isie fi fod yn boyfriend ti?"

"Tim…"

Wrth iddi ddechre siarad mae Dad yn cyrradd. O'n i 'di anghofio faint dwi'n casáu car yn canu corn yn annisgwyl.

Gyda nwylo dros fy nghlustie, dwi'n gweiddi, "Tair eiliad, Dad!"

Yna dwi'n edrych ar Cat, a dwi'n gwbod mod i'n neud llyged tebyg i lyged begian Mam, achos dwi'n agos at deimlo… Teimlo be dwi'n meddwl yw poen. Dwi erioed 'di teimlo poen fel hyn o'r blân. Dwi'n gollwng fy nwylo o nghlustie.

Gwed gelwydd. Gwed gelwydd bod ti isie bod yn gariad i fi Cat, plis, dwi jyst isie cariad.

"Dwi'n sori, Tim."

Dwi a Dad yn gyrru adre mewn tawelwch. Am y tro cynta ers amser hir, dwi'n parchu fe achos mae e'n gwbod mai tawelwch dwi angen nawr – falle bod e'n nabod fi'n well na dwi'n meddwl. Pan ni'n cyrradd adre mae Dad yn gweud bo' Mam wedi mynd i'w gwely'n gynnar, ond bod hi wedi prynu mwy o Cheese Strings i fi. Sai'n ateb Dad achos dwi ddim yn ffansïo Cheese Strings. A dwi'n gwbod yn iawn pam mae Mam yn prynu mwy o'r Cheese Strings. Ond mae rhaid i fi gario mlân i bellhau'n hunan oddi wrthi. A nawr dwi'n penderfynu bod rhaid i fi bellhau'n hunan oddi wrth Cat hefyd.

Dwi jyst isie cariad, cariad heb boen.

Wrth i fi gerdded lan y grisie, dwi'n dychryn wrth i'n ffôn i grynu,

☹ Y Pump ☺
_ROBXN
diolch am heno Tim ♡ da ni gyd yn lyfio chdi sti xx

6

DWI YN FY stafell wely'n aros i Robyn ac Aniq ddod draw i baratoi ar gyfer y gìg Calan Gaeaf yn neuadd y dre. O'n i ddim wir yn meddwl bod gìg Calan Gaeaf yn thing, ond mae'n debyg bod e yn y dre 'ma. Yn ôl y sôn, dyw nhw ddim yn datgelu pwy yw'r band sy'n chware tan y noson, felly mae Robyn wedi gweud neith e ffeindo mas fel bod e ddim yn ormod o syrpréis i fi.

Dwi *yn* caru'r dre 'ma, er dwi heb weld ryw lawer ohoni, a sdim syniad 'da fi ble mae neuadd y dre. Yr unig lefydd dwi *yn* gwbod ble maen nhw yw'r ysgol, y goedwig a'r rhaeadr (lle dwi, Dad a Rex yn mynd am dro bob penwythnos), yr ysbyty gymunedol a Doctor Anna Annwyl, a'r bus shelter.

Y tro dwetha o'n i'n y bus shelter o'dd y tro dwetha i Cat a finne siarad, rai wythnosau'n ôl erbyn hyn. O'n i'n teimlo'n llwyd am ddyddie ar ôl iddi weud, "Dwi'n sori, Tim." 'Nes i feddwl bydde Sian yn gwbod sut i helpu rhywun sy'n teimlo'n llwyd, yn bydde? Ond 'nes i siarad â Dad yn lle hynny (yn ddiweddar dwi'n mynd yn llai a llai suspicious ohono fe) a wedodd e falle bo' fi'n anxious, achos mae lot o bobl oed fi'n anxious dyddie 'ma, apparently, felly 'nes i benderfynu neud Google Search arall:

Q **What's the best way to get rid of anxiety?** ✕ | ⌨

Awgrymodd Google bod cadw dyddiadur yn ffordd dda o ysgwyd anxiety bant. 'Nes i feddwl bod hynna'n syniad da, yn enwedig gan bod 'da fi ddigonedd o bethe i sgwennu amdanyn nhw nawr. Achos mae tipyn wedi digwydd ers y noson yn y bus shelter.

('Nes i benderfynu peido sgwennu dyddiadur, achos bo' well 'da fi neud rhestrau ar ap Notes.)

RHESTR TIM

Dydd Llun 21 Medi – Dydd Iau 24 Medi:

- Llwyddo i osgoi Cat bob dydd (ddim osgoi go iawn, sai'n gallu torri hi mas o mywyd yn gyfan gwbl, mae hynny'n amhosib achos ni'n dau'n rhan o'r Pump – dwi'n dianc i mewn i'n hunan pan dwi gyda hi, a neud yn siŵr mod i ddim yn eistedd drws nesa iddi).
- Dad yn mynd â fi i'r ysgol bob dydd. Ni'n chwerthin yn aml, a dwi'n meddwl mod i'n agos at garu Dad eto.

- Dydd Mawrth, weles i'r bachgen sy'n llai na fi, y bachgen â'r got *Doctor Who* yn cerdded heibio'r drws yn ystod gwers Saesneg. 'Nes i godi i fynd ato fe, ond wedodd Mr Owens Saesneg wrtha i am iste lawr neu deith e â'r gansen 'nôl. 'Nes i ofyn beth o'dd cansen, a wedodd Mr Owens ddylen i gwglo fe.
- Mam yn trio dod i'n stafell i sawl noson, ond dwi'n gweiddi, "Dwi'n brysur" (celwydd) bob tro.
- Nos Iau, Cat yn gyrru neges ar Messenger, "Gawn ni siarad? Na i video callio chdi even?" Dwi ddim yn ateb.

Dydd Gwener 25 Medi:
- Sâl o'r ysgol (celwydd), o'dd gormod 'da fi i osgoi heddi – Cat a sesiwn 'da Sian.
- Chware Xbox drwy'r dydd, a gwglo beth o'dd cansen yn feddwl. O'dd athrawon basically yn rheoli disgyblion drwy fygwth nhw 'da torture, bach fel Kim Jong-un, yn rheoli'r byd a bygwth pawb â'i arfau niwclear.
- Mam isie dod i'n stafell i 'to, dwi'n gweiddi "Dwi'n brysur" 'to, ond mae hi'n mynnu dod mewn, felly 'nes i daflu'r remote Xbox ati. 'Nes i ddim bwyta swper noson 'ny.
- Video call ar Instagram gyda Robyn am 10pm tan 11pm. O'dd e'n gweud bod y bus shelter ddim 'run peth hebdda i.

Dydd Llun 28 Medi – Dydd Gwener 2 Hydref:
- Dal i lwyddo i osgoi Cat a Mam, a Dad yn mynd â fi i'r ysgol bob dydd.

- Dal i deimlo'n llwyd. Ddim yn siŵr os yw'r rhestr 'ma'n helpu'r anxiety. Dwi'n penderfynu neud ymchwil ar grwbanod. 'Nes i grio pan ddysges i bod crwbanod môr yn gallu drysu rhwng bagie plastig a jellyfish (y prif beth maen nhw'n bwyta).
- Dydd Mercher, Tami ac Aniq yn gofyn i fi "Be sy'n bod?" o nunlle, a gweud bo' fi'n "Seemo'n depressed."
- Nos Fercher, Mam a Dad yn gweiddi 'to.
- Dydd Iau, mewn gwasanaeth annisgwyl wedodd Mr Roberts (wmpa lwmpa) bydde fe'n cosbi pwy bynnag sydd wedi rhoi'r graffiti 'faggot' yn nhoilede'r bechgyn. Yn dawel bach ar ôl y gwasanaeth 'nes i weud wrth wmpa lwmpa mai probably rhywun o'r BeiblLads o'dd e. Ga'th Liam a Garin o'r BeiblLads suspension.
- Dydd Gwener, Sian yn rhedeg ar ôl fi drwy'r coridore. Sgeri ond hwyl 'fyd.
- Nos Wener, Robyn yn dod draw i'r tŷ am y tro cynta, ni'n chware Xbox, a Robyn ddim wir yn mwynhau chware Xbox, felly ni'n watsho *Deadpool*, heb Mam.
- Nos Wener 'to, Cat yn gyrru linc i erthygl am grwbanod. Dwi'n gwenu'n felyn ond ddim yn ateb hi.

Dydd Llun 5 Hydref:
- TAMI YN GOFYN I FI FOD YN GARIAD IDDI?!?!
- Ac er o'n i ddim yn siŵr i ddechre – meddwl am y syniad o gariad a poen – dwi'n gweud OK achos mae Tami, er bod hi'n gallu bod yn sgeri, mae hi'n rhy garedig 'run pryd, a fydde hi ddim yn rhoi poen i unrhyw un.

Ac ers 'ny dwi 'di bod yn rhy brysur i sgwennu fy rhestr, achos mae 'da *fi* gariad.

Dyw bod yn gariad i Tami ddim yn wahanol iawn i fod yn ffrind i Tami. Ond dwi erioed 'di ca'l cariad o'r blân chwaith – ydy e i fod yn rili wahanol i fod yn ffrind i rywun? Mae Tami'n rhannu tanjerîn hi 'da fi bob amser egwyl fwy neu lai, ac un tro na'th hi hyd yn oed ddwyn llond llaw o Fruit Salads o swyddfa Sian i fi. Mae hi 'di ffonio fi yn gofyn am help 'da'i gwaith cartre Maths unwaith 'fyd, a ni o hyd yn Snapchatio am ba mor depressing yw'r newyddion (sai wir yn watsho'r newyddion).

A dwi *yn* teimlo'n saff 'da Tami. Pan o'n i'n chware *Minecraft* ar y ffôn un amser egwyl, na'th Cerys o'r Slayers ddechre pwyntio a chwerthin, a 'nes i ddechre crynu, ond wedodd Tami, "Oi!" A dyna i gyd na'th e gymryd i dawelu Cerys a nghrynu i. A'r unig beth sy wir yn wahanol yw bod Tami'n gadel i fi wthio'i chader olwyn yn fwy aml nawr.

Ni heb fod ar ben ein hunain na bod i dai'n gilydd 'to, felly dwi'n rili edrych mlân at gyrradd y gìg heno ac yfed Pepsi Max 'da jyst Tami.

Falle 'newn ni ddawnsio 'da'n gilydd. Dwi erioed 'di dawnsio 'da rhywun sy mewn cader olwyn, a 'na i mond dawnsio os dwi'n teimlo fe. Weithie mewn gìg dyw earplugs ddim yn ddigon i gadw'r crynu'n dawel – dwi 'di gorfod gwrando ar sawl gìg o'r tu fas.

Pan o'n i'n ddeg mlwydd oed, dwi'n cofio Mam yn rili drist pan o'dd rhaid i ni fynd tu fas i gìg Fleetwood Mac, a dyw e jyst ddim 'run peth, dwi'n gwbod. Ond o'dd un o bouncers y gìg wedi'n gweld ni, a gweud wrthon ni am beido gweud wrth neb, ac a'th e â ni i'r bocs gwydr yng nghefn y neuadd fawr.

Dwi'n cofio gwylio Mam yn dawnsio i'r gân 'Go Your Own Way'. Ei breichie hi'n neud pethe weird, a'i gwallt hi'n tanglo'n wyllt, wrth iddi weiddi drosodd a throsodd, "Dwi'n hedfan, Tim, dwi'n hedfan!"

Do'dd hi ddim *actually* yn hedfan, ond o'n i'n gwbod bo' Mam yn ca'l un o nosweithie gore'i bywyd hi. Gyda *fi*.

A'n sydyn dwi'n teimlo poen. Poen tebyg i'r boen ges i 'da Cat noson y bus shelter.

Crap.

Dwi'n meddwl mod i'n colli bod 'da Mam. Dwi'n gweld Mam – obvs – ond dwi heb ei gweld hi'n *iawn* ers wythnose. Mae'n teimlo fel blynyddoedd, ac erbyn hyn dwi'n meddwl bod hi'n osgoi fi 'fyd. Dwi heb hyd yn oed siarad â hi am fy nghariad newydd.

Ydw i 'di mynd yn rhy bell? Ydw i 'di neud y peth iawn yn pellhau'n hunan? A dwi'n meddwl am Cat, a'i bod yn amlwg yn osgoi fi nawr, yn enwedig ers i fi a Tami ddod yn gariadon.

Dwi'n ysgwyd yr holl gwestiyne bant, a'n atgoffa fy hunan bod 'da fi gariad nawr. A dwi am roi popeth i neud i Tami deimlo'n wych. A dwi wir isie iddi deimlo'n wych heno, achos dwi a Robyn yn credu mai heno yw'r noson pan fydda i'n ca'l fy nghusan cynta. Ac er bo' fi 'di dychmygu Cat sawl gwaith wrth ymarfer cusanu ar fy llaw, fel mae'r YouTuber Erika Cupcake yn gweud wrthon ni i neud ('nes i gwglo 'How to kiss' a dyna dda'th lan gynta), dwi'n addo i fy hunan 'na i gusanu Tami heno, achos dwi *isie* cusanu Tami.

卌

"Tim. *Ti'n* mynd i lyfio fi."

Mae Robyn wedi cyrredd fy stafell wely 'da bag lliw arian sy'n llawn stwff. Mae e'n gweud bo' rhaid i fi aros nes bod Aniq yn cyrradd i ga'l rhannu *pam* bo' fi'n mynd i lyfio fe. Ond y peth yw, dwi'n lyfio fe yn barod. (Lyfio. Dwi'n dechre arfer â geirie Gog, dwi'n meddwl.)

"Ydy Mam a Dad chdi'n OK?"

A dwi'n gwbod pam mae e'n gofyn. Jyst cyn iddo fe gyrradd, o'n i'n clywed y ddau'n gweiddi 'to. A fel arfer mae e'n aneglur, ond heno na'th llais Mam losgi nghlustie. (Ddim llosgi go iawn. Obvs.) Glywes i Mam yn gweud,

"Sda fi ddim syniad be sy mynd mlân 'da fe! Oes 'da ti?!

Ti byth yn ffycin gofyn, byth yn siarad â fe'n iawn, sdim ffycin ots 'da ti bod e'n..."

... awtistig. Dyna ddiwedd brawddeg Mam, dwi'n meddwl.

"*Dwi'n* mynd â nhw i'r gìg heno." Dwi heb fod yn y car 'da Mam ers wythnose.

Ac ar y pwynt yna, cyn i neb allu meddwl na gweud mwy, dyna pryd mae Robyn yn byrstan mewn drwy'r drws fel y conffeti yn gìg Fleetwood Mac, conffeti o'dd yn syrpréis, ond syrpréis o'n ni i gyd angen.

Mae Robyn yn gofyn eto, "Ydyn nhw'n OK?"

A dwi ffaelu ateb, achos er bo' Mam wedi gweud bo' nhw ddim am ga'l divorce, dy'n nhw ddim yn gallu cario mlân fel hyn, odyn nhw? Maen nhw mor, mor llwyd o hyd... Dim dyna yw lliw cariad, ife? Dwi'n gweud wrth Robyn mod i ddim yn gwbod yr ateb a mae e'n rhoi ei law ar fy ysgwydd chwith, a fel arfer bysen i'n hito rhywun os bydden nhw'n cyffwrdd â fi heb ofyn, ond, wel, Robyn yw e.

Ac ar y pwynt yna mae Aniq yn cyrradd, a dwi'n gorfod rhoi taith sydyn iddi o gwmpas fy stafell, achos bo' Robyn yn gweud. Dwi'n dangos iddi ble mae popeth, achos dyw hi ddim 'di bod 'ma o'r blân. A mae Aniq yn 'lyfio' y llun 'nes i o'r Power Rangers glas a pinc yn cusanu. Dwi'n lyfio Aniq 'fyd.

"Wel, gan bo' chi'n sôn am y Power Rangers..." – mae Robyn yn codi'i fag – "... y rheswm cynta ti'n mynd i lyfio fi ydy, yn y bag yma, ma genna i costumes Halloween i chdi a fi, Tim."

Mae Robyn yn edrych arna i ac yn codi ei eyebrows taclus. Dwi'n meddwl bod e'n disgwyl i fi wbod am be mae e'n sôn. Ond sda fi ddim syniad am be mae e'n sôn.

"Ti a fi am fod yn Power Rangers heno! Fersiwn sgeri!"

Ac er bo' hynna ddim yn neud synnwyr, achos does dim fersiwn sgeri o'r Power Rangers, dwi'n dechre byrstan chwerthin oren a mae Robyn yn arllwys y gwisgoedd a'r makeup a'r glitter i gyd o'i fag ar fy ngwely.

Dwi'n dewis y wisg las a mae Robyn yn dewis y wisg binc. A gyda help Aniq, ry'n ni'n dau'n trawsnewid.

Dyw Aniq ddim am wisgo lan achos dyw hi ddim wir yn lico Calan Gaeaf ond o'dd rhaid iddi fynd i'r gìg achos o'dd hi *mor* gyffrous bod un o'i hoff fandie hi'n chware. Ac wrth weud hynny, mae Aniq yn rhoi ei dwylo dros ei cheg.

"Dwi 'di deud wrth Aniq, ond Tim, wyt ti'n barod i lyfio fi hyd yn oed yn fwy?"

Dwi'n nodio ar Robyn fel Rex pan mae e'n ateb 'ie' am fwy o fwyd.

"Dwi 'di ffeindio allan pwy sy'n chwara'n y gìg heno."

Ie, dwi'n gwbod 'ny.

"Heno."

Ie?

"'Dan ni'n mynd i gìg Halloween…"

"GWED!"

"ADWAITH!"

Dwi ffaelu credu'r peth.

Gìg Calan Gaeaf Adwaith. Wedi gwisgo lan fel Power Ranger. Gyda Robyn, Aniq a nghariad i.

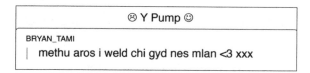

☹ Y Pump ☺

BRYAN_TAMI
methu aros i weld chi gyd nes mlan <3 xxx

Yna dwi'n meddwl am Cat. Dwi ddim yn gwbod os ydy Cat yn mynd, a dyw Robyn ac Aniq heb glywed ganddi chwaith.

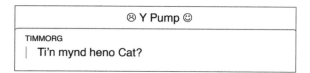

☹ Y Pump ☺

TIMMORG
Ti'n mynd heno Cat?

Mae hi'n ateb yn syth.

☹ Y Pump ☺

CAT'X
ddim yn dod heno soz. ddim teimlo dda.
joiwch tho x c u wsos nesa x

Dwi'n gutted.

Mae Aniq yn gweud bo' Cat yn teimlo'n sâl yn aml yn ddiweddar. Dwi'n gofyn pam, ond mae Aniq yn gweud dim ei lle hi a Robyn yw gweud pam. A dwi'n teimlo'n wael, achos mae 'na rwbeth am Cat dwi ddim yn gwbod amdano. Dwi'n penderfynu gofyn iddi, pan mae'r amser yn iawn, pan ni ddim yn osgoi'n gilydd ddim mwy. Ond pryd byddwn ni'n stopo osgoi'n gilydd? Mae Robyn yn gweud bo' ni ffaelu bod yn depressed nawr achos bod 'da ni noson fawr o'n blaenau a mae e'n estyn potel o'i fag, potel o win, cyn gweud,

"Alexa, play 'Wine Time' by Adwaith."

7

A DYMA NI.

Mae neuadd y dre'n teimlo fwy fel y plasty o'r comic *Marvel*, The Haunted Mansion.

Ni'n cerdded drwy un o goridore hiraf Cymru (ddim go iawn, ond mae'n teimlo fel'ny). A mae 'da ni dasg enfawr o'n blaenau: dawnsio, canu a chusanu (a cheisio peido ca'l ein lladd gan sombis, Dracula neu gynhesu byd-eang) yn gìg Adwaith.

Nid nofel ramant yw hon rhagor. Mae *hon* yn nofel antur eich hoff archarwyr.

Yn serennu:

Power Ranger Pinc Hunllefus (aka Robyn)
Archarwr sy'n edrych yn hanner marw, ond sy dal â sbarcl heintus yn ei lygaid, diolch i'r glitter. Bydd e'n defnyddio'i bŵer sawl gwaith heno: twerk crefftus.

Aniq (aka Aniq)

*Archarwres sy'n llawn bywyd, ac egni hynod a hudolus
yn treiddio drwy ei chwerthin porffor. Ei phŵer hi heno:
sicrhau bod neb o'r archarwyr eraill yn cwmpo na'n neud
ffŵl o'u hunain.*

Blydi Blodeuwedd (aka Tami)

*Archarwres sy'n edrych fel un blodyn crebachlyd mawr, a'r
gwaed yn llifo o'i hwyneb fel rhaeadr ddiddiwedd. Ei phŵer
hi heno: rhannu cusan arallfydol.*

Ac yn ola, eich prif seren:

Power Ranger Glas Dychrynllyd (aka fi)

*Archarwr sy'n sgerbydol ei olwg, ond er hynny mae e'n
teimlo'n gryf ac yn barod i beidio dianc o sŵn y gìg, diolch
i'w earplugs euraidd a chwmni ei gyd-archarwyr. Ei bŵer e
heno: dewrder.*

Ac yna dwi'n gweld Mam. Ydy. Mae Mam 'da ni 'fyd.

Ar ddiwedd y coridor hir dwi'n gweld hi'n cerdded
gyda ni, ac yn cofio bo' fi ddim mewn nofel antur, a bo' fi
bach yn tipsy. Ges i wydred o win rosé 'da Robyn – o'n i
ddim isie ar y dechre, ond 'nes i benderfynu trio fe achos

dwi'n trysto Robyn a'i dast e erbyn hyn. 'Nes i ga'l bach o syrpréis achos o'dd e'n lyfli – ond ddim mor neis â Pepsi Max. A dyna'n union pam bo' Mam 'da ni.

O'dd hi'n amlwg yn grac 'da Robyn pan welodd hi'r botel win yn ei fag e. Y peth cynta na'th hi o'dd gofyn i fi os o'n i wedi yfed peth, a neud hynny o flân Robyn, Aniq, Dad a Rex. O'dd pawb yn edrych arna i. Felly, 'nes i ddianc i mewn i'n hunan am ddeg munud. O'n i ffaelu wynebu gweud celwydd wrthi *eto*, a hynny o flân pawb. O'dd hi'n gwbod yn iawn mod i wedi yfed peth. (Ac er na'th hi ddim ei weud e, o'n i'n gwbod bod hi isie gweud, "Nid bai ti yw e.") Felly, mae hi 'di mynnu dod i mewn i'r gìg, i gadw golwg arnon ni. I gadw golwg arna *i*.

Dwi *mor* grac 'da hi. Weithie mae Mam yn neud penderfyniade fel hyn, a dwi'n gwbod sdim pwynt ymladd 'da hi, achos dyw hi ddim am newid ei meddwl. Ac achos fel mae pethe wedi bod rhyngddon ni, 'nes i benderfynu do'dd dim pwynt sgrechen na gweud dim.

Ni'n cyrradd dryse'r neuadd fawr a dwi'n dechre crynu. Dwi'n stopo ble ydw i. A mae hynny'n golygu bod Tami'n stopo 'fyd achos ei chariad hi sy'n gwthio hi.

"Tim, ti'n iawn?!" mae Mam yn gweud fel tase hi'n barod i danio'r car a mynd â fi'n ôl adre. Dwi ddim isie mynd adre.

Er bo' fi'n teimlo'n ddewr heno, mae'r crynu'n neud synnwyr i fi. Mae heno'n brofiad anghyfarwydd a newydd, ond dwi am fod yn OK.

"Ydw. Dwi jyst, ym…"

Am ryw reswm dwi'n ffeindo fe'n anodd ca'l y geirie mas, a dwi'n gwbod mai ddim dianc i mewn i'n hunan yw hyn. Felly dwi'n gweithio'n galed i wthio'r geirie heibio'r crynu a mas o'n ymennydd.

"Dyma'r tro cynta i fi fynd i barti *gyda* pobl eraill, gyda *ffrindie*."

Dwi'n teimlo bach yn ddagreuol, ond dwi ddim yn crio, a mae Robyn, Aniq a Tami i gyd yn neud sŵn fel tasen nhw newydd gwrdd â babi crwban, a mae Mam yn rhoi ryw hanner gwên felyn.

"A dwi'n gutted bod Cat ddim 'ma, i rannu fe."

Mae Robyn yn penderfynu bo' ni angen tynnu llun (heb Mam, obvs) a'i rannu 'da Cat a holl Instagram followers Robyn. A mae hynny'n neud i'r crynu dawelu rhywfaint. Dwi'n edrych ar ddryse'r neuadd fawr, ac yn paratoi'n hunan at gìg Calan Gaeaf, sŵn uchel, a lot o bobl. Fel arfer bysen i'n teimlo'n ofnus, gyda gyment o bethau anghyfarwydd a newydd. Ond heno, achos bo' fi 'da'n archarwyr (minus one), sdim ofn arna i.

Mae Aniq yn gweud, "Aros gyda'n gilydd," yn ailadrodd

y lifehack na'th uno'r Pump ar fy niwrnod cynta yn Ysgol Gyfun Llwyd. Dwi'n sylweddoli bo' fi heb feddwl amdano fe ers sbel. Achos ni jyst wedi bod yn neud e, I guess.

ǀǀǀǀ

A mae e *yn* orlawn.

A mae e *yn* swnllyd.

A maen nhw wedi mynd dros ben llestri gyda'r addurniade. Dwi isie ffeindo trefnydd y gìg a gweud, "Ni ddim yn Americanwyr, ni'n Gymry." Dwi'n gweud hynny o hyd wrth Robyn, achos mae e'n *dal* i neud yr American accent, a dwi'n gwbod mai jocan mae e, a dwi'n neud e weithie, ond mae jyst lot well 'da fi ei lais *e* erbyn hyn.

Ond dwi'n OK.

Mae Robyn, Aniq, Tami a finne wedi ffeindo'r lle perffaith – platfform bach sy'n agos at gefn y neuadd – ac wedi penderfynu mai fan *hyn* fydd ein sbot ni am weddill y noson. Yn fan hyn, ni'n gallu gweld popeth. Ni'n gweld y llwyfan, lle mae'r warm-up act wedi dechre chware – DJ Doris y Diafol, sy actually yn ddyn yn ei bumdegau hwyr. Mae Aniq yn gweud bod e'n edrych fel Mr Roberts, a *mae e*, achos mae e'n edrych fel wmpa lwmpa 'fyd, wmpa lwmpa sgeri – dwi ffaelu stopo chwerthin oren. Ni'n gweld pawb o'n blwyddyn ysgol, gan gynnwys y Slayers sy reit yng nghanol y dorf, wedi'u gwisgo fel vampires heb lawer o ddillad. Dyw nhw ddim yn dawnsio eto ond yn tynnu selfies. Mae'n anodd anwybyddu'r BeiblLads, sydd wedi'u gwisgo fel nuns (dwi ddim yn deall – dyw nuns ddim yn sgeri) a sy'n barod yn trio dechre mosh pit. Yn ola, ni'n gallu gweld y toilede achos bo' nhw reit tu ôl i ni, a mae'r bar mewn twll bach yn y wal ddim yn bell o ddryse'r neuadd. A *dyna* ble mae Mam.

"Reit, drinc." Wrth i Robyn weud hynna mae e'n winco ar Tami ac yn tynnu Aniq gydag e at y bar.

A dwi a Tami ar ben ein hunain, am y tro cynta. Heb oedi, dwi'n gweud, "Mae Robyn yn credu mai heno fydda i a ti'n cusanu."

Mae Tami'n chwerthin. Dwi ddim yn siŵr pam, ond dwi'n chwerthin 'fyd. Ond ni ddim yn chwerthin oren. Chwerthin gwyrdd yw hwn, gwyrdd tebyg i wyrdd wobli Dad.

"Dwi erioed 'di cusanu neb o'r blân. Heblaw Mam. Ond nid fel'na. Ych."

Mae Tami'n chwerthin eto, y gwyrdd yn araf droi'n oren. Mae hyn yn mynd yn OK, dwi'n meddwl. Dwi'n gweld Mam o gornel fy llygad, ac yn meddwl pa mor rhyfedd bydde fe i ga'l fy nghusan cynta, a hi'n gwylio. A dwi jyst isie gweiddi draw ati, "Cer gytre! Gad fi fod!" Ond alla i ddim.

Heblaw am y chwerthin, dyma'r tawela dwi erioed 'di gweld Tami. Pam mae hi mor dawel? Falle dyw hi ddim moyn cusanu fi? Falle bo' Mam yn neud hi'n anghyfforddus 'fyd?

"Ti moyn cusanu?"

A dyw hi ddim yn gweud dim. Dim dyma'r tro cynta iddi beido ateb fy nghwestiwn i. Pan ofynnes i iddi pam ei bod hi mewn cader olwyn, na'th hi ddim ateb bryd 'ny chwaith. Ydy hyn yn rwbeth mae Tami'n neud yn aml? A dwi'n meddwl i'n hunan, mae dal i fod lot i ddysgu am Tami – ydw i'n barod i'w chusanu hi?

"Fi isie cusanu *ti.*"

Ond mae e'n dod mas yn weird. Mae'r ffordd dwi'n pwysleisio'r *ti* yn neud iddo fe swnio fel mod i *ddim* isie cusanu hi. Ond dwi isie, dwi isie cusanu Tami.

(Ydw, dwi isie cusanu Cat yn fwy, ond dwi'n byrstan y ddelwedd o wefuse Cat a finne'n agosáu gyda'r Cheese String o'm meddwl yn sydyn.)

Dwi'n cofio'n ôl at Erika Cupcake ar YouTube, pan wedodd hi pa mor bwysig yw e bod ti wedi golchi dy ddannedd a dy geg os ti am gusanu rhywun. Dwi wedi, ond falle ddim yn ddigon da. Felly, ar ôl gofyn i Tami os bydd hi'n iawn ar ben ei hunan am bach (mae hi'n gweud, "Dwi'n ferch annibynnol, diolch yn fawr" – mae hi mor ddewr), dwi'n penderfynu mynd i'r toilet i olchi nannedd unwaith 'to. ('Nes i ddod â brwsh a past dannedd yn 'y mhoced, rhag ofn.)

IIII

Ar ôl osgoi llais Mam yn galw arna i wrth gerdded i'r toilet, dwi wrthi'n brwsho, a brwsho mor galed nes mae gyms fi'n gwaedu. Crap. Dwi'n edrych fel vampire. Dwi'n rinso ngheg a phoeri popeth mas, a'n gwenu'n llydan yn y drych i weld os yw'r gwaed 'di mynd o'n gyms i. A dwi'n chwerthin i'n hunan, achos mae'r ffordd dwi'n gwenu yn atgoffa fi o Sian a'i gyms hi. Dwi'n gobeithio bod hi ddim yn siomedig yndda i o hyd. Am eiliad, dwi'n meddwl i'n hunan, ddylen i roi cyfle arall i sesiwn 'da Sian? Dwlen i allu gweud wrth rywun mod i wedi gweud celwydde wrth Mam. A dwlen i ga'l mwy o'r Fruit Salads a gweld y ddraig goch 'to. Ond sai'n siŵr os dwi'n gallu wynebu sŵn siom Sian 'to...

Dwi'n chwythu fy anadl mewn i'n llaw ac yn arogli. A mae e'n arogli fel mint, felly dwi'n OK. A pan dwi'n dechre cerdded mas o'r toilede, dwi'n dychryn.

Dwi'n dychryn, achos sŵn fflysh toilet, a mae rhywun yn hanner cwmpo mas o un o'r ciwbicyls.

Dwi'n meddwl bod y Power Ranger Pinc Hunllefus (aka Robyn) wedi meddwi.

"Tim, dach chi 'di neud o eto?!"

A dwi'n credu mai cusanu mae e'n feddwl. Felly, dwi'n ysgwyd fy mhen.

"Wel, be ti'n neud fan hyn?! Est ti'n nerfus ne wbath?!"

Dwi'n ysgwyd fy mhen eto. Ac yna'n egluro bo' fi ddim yn siŵr os yw Tami wir isie cusanu, falle achos Mam neu falle achos bod fy anadl i'n drewi, a dyna pam dwi fan hyn, yn dilyn cyngor Erika Cupcake.

"As if 'nest ti watsiad tutorial video ar sut i gusanu...?"

Mae'r ffordd mae Robyn yn gofyn y cwestiwn yna'n neud i'r crynu ddechre. Mae'n gwbod fydden i ddim yn gweud celwydd wrtho fe. Wrth gwrs dyw cusanu dy law ddim 'run peth â chusanu gwefus rhywun arall. Dwi'n meddwl i'n hunan bo' fi'n bendant am roi sylwad ar fideo Erika Cupcake fory, 'This is an unfair, unrealistic and useless tutorial'. Dwi'n crynu, achos dwi nawr *ddim* yn gwbod shwt i gusanu. Crap.

Ac er bo' Robyn wedi meddwi, mae e'n gweld bo' fi'n crynu. I guess mae e'n nabod fi'n dda nawr. A mae e'n synnu fi ac yn tawelu'r crynu 'run pryd wrth weud,

"'Na i ddangos i chdi sut ma cusanu, os tisio?"

Mae hyn yn neud perffaith synnwyr. Pwy well na fy ffrind gore i nysgu i? A chyn iddo nysgu i, mae rhaid i fi wneud yn siŵr.

"Ti ddim yn ffansïo fi, wyt ti, Robyn?"

Dyw e ddim yn ateb, mae e jyst yn chwerthin oren, a dwi'n ymuno, ac yn gwbod do's dim rhaid iddo fe ateb.

Mae e'n gwneud yn siŵr bod neb arall yn y ciwbicyls, er, dwi'n gweud sai'n meindo achos jyst un ffrind yn dysgu'r llall i gusanu yw e, ond mae e'n mynnu bod neb arall 'ma. A do's neb arall 'ma, a dyw Mam ddim o fewn golwg, felly mae hyn yn teimlo'n saff.

Dwi ddim yn edrych arno fe. Ond dwi'n edrych yn y drych, achos dwi *isie* gweld hyn. Mae Robyn yn dod yn agosach. Dwi'n teimlo'i anadl. Mae'n gofyn os dwi'n barod. A dwi'n tynnu anadl ddofn, cyn gweud, "Ydw."

A ni'n cusanu.

Wrth i ni gusanu, dwi'n dal i edrych yn y drych a mae haul yn byrstan mewn i'r stafell doilede (ddim go iawn, obvs), achos yn y drych dwi'n gweld fy hunan yn cusanu. Dwi'n *gallu* cusanu. Ond hefyd yn y drych, dwi'n gweld Power Rangers Pinc a Glas yn cusanu, yn union fel y llun 'nes i dynnu, yn union fel y llun ar wal fy stafell wely (minus y makeup sgeri)!

Dwi ffaelu credu'r peth.

Ac yn sydyn mae Robyn yn tynnu i ffwrdd o'r gusan, achos mae e'n gweld rhywun. Mae rhywun tu ôl i fi. A mae'n amlwg dyw e ddim yn rhywun mae Robyn isie gweld.

Dwi'n troi rownd, a Llŷr o'r BeiblLads sy 'na, yn sefyll yn gegagored yn ei wisg nun.

Mae Llŷr yn gadel ar unwaith, a Robyn yn gweud wrtha i, "Ti'n cusanu'n wych. Paid poeni amdana fo."

A *dwi* ddim yn poeni, ond dwi'n ca'l y teimlad bod Robyn yn poeni. Mae e'n rhuthro mas, a dwi ffaelu helpu meddwl ei fod e'n mynd ar ôl Llŷr, a sai'n gwbod pam. Ond, sdim amser nawr. Achos nawr dwi'n *gwbod* shwt i gusanu. A mae Blydi Blodeuwedd (aka Tami) yn aros am gusan arallfydol. Gen i.

𝍷

Pan dwi'n cyrradd 'nôl i'n sbot ni, dyw Tami ddim ar ei phen ei hunan. Mae Tami yn siarad â Aniq a Mam. Ond dwi angen bod ar ben fy hunan 'da Tami 'to.

"Ble ti 'di bod?" (Mae Mam *mor* embarrassing.)

"Toilet, obvs." Dwi'n dewis peido gweud mwy. "'Nest ti addo peido dod aton ni'n ystod y gìg."

"Wel, dyw'r gìg ei hunan ddim 'di dechre'n iawn 'to." Mae hi'n iawn, dim ond newydd adel y llwyfan mae DJ Doris y Diafol. Ond dwi jyst isie iddi adel ni fod.

"Stopa bod yn annoying, a gad. Fi. Fod."

Mae Mam yn neud y llyncu caled 'na. A dwi'n rili

clywed e, yn enwedig achos bod hi'n dawelach nawr yn y neuadd, y cyfnod gwag a chyffrous 'na cyn i'r band mae pawb yn aros amdano gyrradd. Dwi erioed wedi clywed llyncu Mam yn ca'l ei achosi gan rwbeth *dwi* 'di'i weud na'i neud. Mae hi'n gweud bod hi'n mynd i'r toilet, a fydd hi ddim yn hir, felly i fi beido poeni. A dwi'n falch bod hi'n gweud wrtha i, ond dwi'n gweud 'nôl:

"Dwi'n fachgen annibynnol, diolch yn fawr."

Mae Tami, Aniq a Mam yn dawel. Gyda wyneb llwyd mae Mam yn gadel am y toilet, a'r un pryd mae Aniq yn mynd i nôl diod o ddŵr iddi ei hunan.

A dwi a Tami ar ben ein hunain 'to.

Dyma'r cyfle.

Ond dwi'n gweld bo' llyged Tami'n brysur. Dwi'n edrych i ble maen nhw'n edrych, i gyfeiriad dryse'r neuadd, lle dwi'n gweld Llŷr yn gadel. Sdim golwg o Robyn yn unman. Dwi bron â sôn wrth Tami am y foment ryfedd gyda Llŷr yn y toilet, ond dwi'n dewis peido. Fel mae e'n gadel, mae'r syrpréis fwya annisgwyl yn cerdded i mewn i'r neuadd. (Fel arfer dwi angen gwbod am unrhyw syrpréis fel hyn o flân llaw, ond mae *hyn* yn hollol dderbyniol.)

Yr Archarwres arall sy'n cwblhau'r Pump.

Catwoman (aka Cat)

*Archarwres sy'n byw tu fewn i groen cath am noson, a
dirgelwch yn pelydru o bob rhan o'i chorff, gan gynnwys ei
gwallt sbarcli a'i chynffon dywyll. Ei phŵer hi heno: rhoi
braw i'w chyd-archarwyr gydag ymweliad annisgwyl.*

"Be *ti*'n neud 'ma?!" mae Tami'n gofyn, ond mae Cat
yn gofyn i fi'n syth,

"Ti'n meindio os 'dan ni'n dwy'n ca'l chat bach ar ben
'yn hunain, am eiliad?"

A dwi *yn* meindio, achos dwi isie gwbod be mae'r sgwrs
amdano, ond sai isie neud i Cat deimlo'n anghyfforddus
yn enwedig os yw hi'n dal i deimlo'n sâl. Dyw hi ddim yn
edrych yn sâl – hi yw'r Catwoman ore dwi erioed 'di gweld.
Dwi'n ysgwyd fy mhen, ac yn meddwl i'n hunan bydda i
bendant yn ffaelu cusanu Tami nawr – bydde hynny jyst yn
rhy od gyda Cat yma. Ond sai'n meindio aros. Mae heno'n
well nawr bo' ni i gyd 'ma: Pump Archarwr yn barod am
Adwaith.

Ond yn sydyn, dwi'n sylwi. Er bo' ni i gyd 'ma, dwi ar
ben fy hunan.

Mae Cat a Tami wedi mynd i gornel y neuadd i ga'l y
chat. Am ryw reswm, mae Aniq wedi stopo i siarad ag un
o'r Slayers. Ac yna dwi'n gweld Robyn o'r diwedd, wrth y

bar yn downo shot (mae e *yn* edrych yn hŷn nag un deg chwech).

Dwi'n dechre crynu.

Yna, sŵn.

A dwi'n rili teimlo'r sŵn.

Crynu.

Sŵn Adwaith ar y ffordd.

Crynu.

Sai'n siŵr os yw'r earplugs yn mynd i fod yn ddigon. Dwi'n eu gwasgu nhw i mewn i nghlustie.

Ond mae dal sŵn.

Crynu.

Dwi'n rili *gweld* pawb nawr. Gweld bod *lot* o bobl 'ma. A gweld fy hunan, ar ben fy hunan. A dyna pryd mae Adwaith a'u sŵn yn dod mas ar y llwyfan. Adwaith wedi'u gwisgo fel gwrachod yn gweud,

"Chi'n barod am *sŵn*?!"

Pawb yn sgrechen. Mewn cyffro? Mewn ofn? Sai'n siŵr. Ond be dwi *yn* siŵr amdano yw bo' fi'n sgrechen gan ofn tu fewn, ac mae Adwaith yn sgrechen canu eu cân 'Yn y Sŵn'.

Crynu. Dwi'n edrych draw ar Robyn, a mae e'n dawnsio'n flêr, a mae gwaed ffug a diod yn hedfan yn yr aer.

gobeithio

anghofio

blasu

Crynu.

Dwi'n edrych draw ar Aniq, a gweld un o'r Slayers yn ei gwthio hi, a hithau'n gwthio'n ôl, reit ar bwys mosh pit o sgerbyde a nuns.

Dim y tro 'ma.

Sdim caniatâd.

Beth yw dy gyfeiriad?

Crynu. Dwi'n dechre cerdded draw at Tami a Cat, ond dwi'n stopo cyn cyrradd achos dwi'n gweld bo' Cat yn codi'i llais ar Tami, ac yna dwi'n clywed Tami'n gweiddi'n ôl arni.

"… o'dd e jyst mor depressed, 'nes i ofyn iddo fe fod yn gariad i fi i neud iddo fe deimlo'n well!"

Cyn i Tami orffen y frawddeg, mae Cat yn gweld fi, a wedyn Tami.

gwefus agored

ma geirie i gyd yn llifo'n gyflym

Crynu. Isie dianc. *Crynu.* Dianc-dianc. *Crynu.* Isie dianc.

Dwi erioed 'di teimlo'r crynu mor goch â hyn o'r blân. Mor goch nes gallen i losgi (ond dyw hynna ddim yn bosib). Mor goch nes gallen i ffrwydro (dyw hynna ddim yn bosib chwaith). Mae Tami a Cat yn dod ata i, a dwi jyst yn gweiddi,

"Gadwch fi fod!"

> *yn y sŵn caeedig, o'r gwir, caeedig,*
> *y gwir.*
> *byw*
> *bob man*
> *yn y sŵn*

Dwi'n dewis rhedeg.

卌

Wrth redeg drwy'r dre, sai'n siŵr i ble dwi'n mynd. A mae hynny'n ei hunan yn neud y crynu'n waeth. Y peth arall sy'n neud e'n waeth yw'r ffaith mod i *dal* ddim yn nabod y dre 'ma'n iawn a sdim syniad 'da fi ble ydw i. Dwi 'di gwibio heibio mwy o addurniade Calan Gaeaf, sawl siop elusen a chaffi Costa, heibio lle o'r enw Shecws (mae Tami 'di sôn sawl gwaith am fan hyn, milkshakes neis, yn ôl y sôn), a'r Lidl mawr mae Mam yn mynd iddo bob yn ail benwythnos.

Dwi'n meddwl am Mam. Dwi 'di bod mor gas iddi. A nawr dwi'n neud *hyn*. Dwi'n anadlu'n ddwfn, yna'n penderfynu. Dwi bendant ffaelu troi'n ôl nawr. Dwi'n cario mlân i redeg.

Dwi'n gwibio heibio torf o blant wedi'u gwisgo fel popeth Calan Gaeaf. Maen nhw'n trio codi ofn arna i. A maen nhw'n llwyddo ac yn chwerthin. Sai'n deall pam maen nhw'n chwerthin. Dwi'n sgrechen ac yn teimlo'r chwys yn diferu i mewn i'n llyged i, ond sai'n stopo.

Ond dwi isie i *hyn* i gyd stopo.

Dwi nawr mewn llyfr arswyd. A mae ofn arna i. Dwi rili ofn. Dwi ddim isie bod mewn llyfr arswyd. Dwi ddim isie bod mewn *unrhyw* lyfr.

Felly, dwi'n trio gweud wrtha i'n hunan bo' fi ddim mewn llyfr o gwbl. Dwi *ddim* yn gymeriad mewn llyfr. Ond mae mor anodd pan mae popeth o nghwmpas i wedi'i addurno fel tase fe mewn llyfr.

CRYNU. Smasho rwbeth neu ddianc i mewn i'n hunan? SAI'N SIŴR.

Dwi'n clywed y môr. Dwi'n gwbod mod i'n agos at y bus shelter.

Dwi'n rhedeg, ac os oes 'na'r fath beth â hafan, mae'n

teimlo fel hyn. Dwi'n rhedeg tuag at fy hafan nawr. Yn rhedeg mor gyflym, fel tase DJ Doris y Diafol ar fy ôl i.

Dwi'n cyrradd y bus shelter.

Yn disgwyl i'r crynu ddechre diflannu, ond mae e'n mynd i'r cyfeiriad arall.

CRYNU. Isie smasho rwbeth.

Mae holl atgofion y noson yn llifo trwy nghorff, a dwi'n gwbod bod e ddim yn bosib, ond dyna wir wir sut mae'n teimlo.

CRYNU. Angen smasho rwbeth.

Dwi'n cofio bod 'da fi headphones. Dwi'n tynnu'n earplugs o'r gìg, yn gwisgo'r headphones ac yn dewis gwrando ar 'Fel i Fod' gan Adwaith, i drio tawelu nghorff i, tawelu'n ymennydd i.

CRYNU. Mynd i smasho rwbeth.

Dwi ffaelu helpu'n hunan rhag clywed geirie Mam yn gweud, "Nid bai ti yw e", ond dwi'n gweiddi mas i'r byd, "Fy mai i yw e!"

Sai'n siŵr fel i fod. Sai'n siŵr fel i fod. Sai'n siŵr fel i fod.

Dyw'r gân ddim yn gweithio. Mae'n mynd â fi'n ôl i'r gìg, yr union le dwi isie dianc wrtho. Yn fy mhen dwi'n gweld y pump ohonon ni ar wahân, ddim fel un rhagor. A

Mam yn cadw golwg arna i. A finne jyst isie iddi adel fi fod.

Dymuno i bawb adel fi fod...

Mae e 'di digwydd. Dyma fi, ar ben fy hunan. Pawb wedi gadel fi fod. Wrth y môr. A mae e mor crap. A bai fi yw e.

Falle fi moyn mynd yn wyllt.

Dwi ddim *isie* mynd yn wyllt.

Yn sydyn, dwi'n gafel yn fy mhen yn dynn a'i fwrw yn erbyn wal garreg y bus shelter.

A mae popeth yn

dywyll.

卌

8

"Tim?"

Teimlo nghlyw yn deffro.

"Tim Morgan ydy o!"

Llais cyfarwydd, ifanc.

"Tim? Ti'n nabod fi, dw't?"

Dau lais cyfarwydd.

"Ti'n clywad fi?"

Ydw, ond mae gen i gur pen mawr a sai isie ateb.

"Tria agor dy lygaid, Tim. Tim?"

Blurry.

"Tim! Dwi 'ma!"

Chewing gum spearmint Mam.

||||

'Nes i ddod at fy hunan yn iawn yn yr ysbyty gymunedol. 'Nes i lwyddo i roi concussion i'n hunan, a dychryn pawb o nghwmpas i (amserol a hithe'n Galan Gaeaf) – yn enwedig Mam. Wedodd Doctor Anna Annwyl mewn acen Gog ddwfn bod angen i'r "Power Ranger yma ymlacio dros y penwythnos rŵan". Pan mae hi'n gweud 'rŵan' dwi'n sylwi bod y gair yn sillafu 'nawr' am yn ôl, ac yn meddwl pa un dda'th gynta. Dim bod ots. Wrth bo' fi'n meddwl hynny, dwi'n gwbod bo'n ymennydd i'n OK nawr, rŵan (well 'da fi rŵan, nawr). Mae Mam yn gweud diolch wrth Anna (dwi'n teimlo bo' ni ar first name terms rŵan), ond mae hi'n ymateb drwy weud, "Duw, peidiwch diolch i fi, diolchwch i'r ddau welodd Tim yn y lle cynta. Ddudish i bo' 'na lot ohonan ni, yn do?"

Be mae hi'n golygu yw bod lot o bobl annwyl yn y dre 'ma.

Mae Anna'n iawn.

Mae Mam a finne'n cerdded mas o'r ysbyty a maen nhw yno'n aros amdanon ni gyda golau'r lampau stryd yn eu goleuo yn nhywyllwch y nos Wener hydrefol. Maen nhw wedi aros i neud yn siŵr bo' *fi*'n OK. Yn sefyll law yn llaw â bachgen, mae Sian yn gwenu-gyms, yn edrych fel tase hi'n falch o ngweld i, yn bell iawn o fod yn siomedig yndda i. Dwi'n penderfynu yr eiliad yna mod i am roi cyfle arall i sesiwn 'da Sian. Wrth ei hochr mae ei mab, y bachgen sy'n fy atgoffa i ohona i pan o'n i'n llai, yn ei got *Doctor Who* unwaith 'to. Dwi ffaelu helpu meddwl bo' fi *dal* ddim yn gwbod ei enw fe, felly'r peth cynta dwi'n gweud yw,

"Beth yw enw ti?"

"Nedw." Dwi erioed 'di clywed yr enw yna o'r blân, ond dwi'n hoffi fe.

Wrth fynd am dro gyda'i fam, welodd Nedw goese Power Ranger glas ar lawr oer wrth y bus shelter. Ac yna welodd e sgidie *Deadpool* (hyd yn oed os dwi'n gwisgo lan ar gyfer Calan Gaeaf, sai'n mynd i wisgo sgidie gwahanol i'r rhain), a chyn gweld fy wyneb i, o'dd e'n gwbod mai fi o'dd e. Dwi'n gwbod bo' fi 'di sôn am gyd-ddigwyddiad a ffawd yn barod, a bod ffawd ddim *wir* yn bosib, ond falle bod e? Dwi mor ddiolchgar bod Nedw wedi sylwi ar fy sgidie *Deadpool*.

Ar ôl tynnu sylw Sian (ei fam e!?), llwyddodd hi i ga'l gafel ar rif Mam yn un o'i ffolders gwaith ar ei ffôn hi. Ac unwaith i Mam gyrradd, o'dd Sian yn mynnu dreifo ni i'r ysbyty.

Felly, dyma ni.

Mae Mam yn rhoi cwtsh i Sian, a dwi'n edrych ar

Nedw, a dwi'n gwbod bydde fe ddim wir isie cwtsh, achos pan o'n i'r un oed â fe, do'n i ddim isie chwaith. Felly dwi jyst yn gwenu'n las gole a mae e'n gwenu'n ôl yn las gole, a dwi'n neud penderfyniad. Dwi am fod yn ffrind i Nedw, er dyw e ddim yn rhan o'r Pump. A dwi isie bod yno iddo fe os bydd e byth angen fi.

Mae Mam a Sian yn siarad, a dwi'n clywed Sian yn gweud, "Dwi ddim yn jelys."

Dwi ddim yn siŵr pam bo' Sian yn gweud hyn wrth Mam. Sai 'di bod yn gwrando ar eu sgwrs nhw'n iawn, ond dwi'n clywed hyn yn glir. A dwi'n sylwi bo' Mam yn mynd yn dawel, a chwythu anadl fawr mas o'i cheg a weipo deigryn ar ei boch. Cyn i fi ga'l cyfle i ofyn am be maen nhw'n sôn, mae Dad yn cyrradd heb ganu corn y car (dwi ddim yn suspicious ohono fe rhagor).

Cyn gadel, dwi'n cofio bod angen i fi ofyn rwbeth i Nedw.

"Ti isie dod draw i wylio *Black Panther* nos fory?"

Mae Nedw'n nodio.

Er ei bod hi'n nos, dwi'n teimlo'r haul yn fy nghorff.

9

☹ Y Pump ☺

TIMMORG
Dwi'n OK. Dwi angen ymlacio dros y penwythnos.
Am ddiffodd ffôn. Edrych mlan i weld chi dydd
Llun :)

NES I DAWELU meddylie gweddill y Pump mewn
un neges nos Wener, a wedyn 'nes i ddiffodd fy
ffôn am y penwythnos. Dad awgrymodd i fi neud 'ny, ar
ôl iddo fe ddarllen erthygl ar-lein yn gweud, 'One in four
young people are addicted to their smartphones.' A dwi'n
gwbod mod i ddim yn addicted, ond na'th Dad a finne
gytuno bod amser bant dim ond yn gallu bod yn beth da,
yn beth ymlaciol. A dyna beth dwi angen penwythnos 'ma.
Mae Dad *yn* deall fi, a *mae* ots 'da fe.

Dwi wir yn edrych mlân at weld gweddill y Pump
dydd Llun. Er y noson hunllefus, a'r boen ar ôl clywed
geirie Tami, do'dd y noson gyfan ddim yn ddrwg i gyd.
Ac i fod yn onest, wedi meddwl, dwi ddim yn synnu bod

Tami ddim wir isie bod yn gariad i fi, achos do'n i ddim *wir* isie bod yn gariad iddi hi chwaith. Do'dd e ddim yn iawn, rywffordd, a ni'n well fel ffrindie. O'n i'n neud e i lenwi rhyw fwlch (nid bwlch go iawn, obvs).

Obvs.

Dwi'n meddwl lot am Cat dros y penwythnos. Dwi 'di rili colli hi, a ches i ddim cyfle i ga'l amser 'da hi yn y gìg. A dwi'n gwbod dyw hi ddim am lenwi'r bwlch fel dwi isie, ond mae well 'da fi hynny na dim Cat o gwbl, a bod pethe'n boenus rhwng pawb o fewn y Pump. Dwi ffaelu pellhau'n hunan oddi wrthi hi ddim mwy. A dwi'n penderfynu hynny ar gyfer Cat, Robyn, Aniq a Tami. Dwi'n OK gyda jyst bod yn ffrindie 'da Cat, a dyw'r cariad gore ddim wastad yn gorfod dod o actual *cariad*-cariad. ('Nes i glywed hynny ar *Queer Eye* pan o'dd Mam yn gwylio noson o'r blân – 'This is a community of those you love and those who love you.')

Dwi isie cariad, ond falle bo' dim rhaid i hynna fod yn *gariad*-cariad. A dwi'n meddwl gall y boen fod yn llai fel hyn. Dwi'n gweld y Pump fel cymuned, cymuned fi.

Gyda hynny'n gliriach yn fy ymennydd, dwi ffaelu helpu dod 'nôl at be wedodd Sian wrth Mam, "Dwi ddim yn jelys." Dwi'n synnu'n hunan mod i'n dod 'nôl at y geirie mor aml dros y penwythnos, a chofio anadl a deigryn Mam mor glir. Am ryw reswm mae'r geirie yn neud i fi boeni, yn rhoi poen i fi, poen sy'n wahanol i unrhyw beth dwi 'di teimlo 'da geirie Tami, a'r "Dwi'n sori" gan Cat.

Be dyw Sian ddim yn jelys ohono fe? O'dd y ddwy'n siarad amdana i? Mae'n rhaid bo' nhw. Falle bod hi ddim yn jelys o Mam am ga'l mab fel fi? Mab sy wedi bod mor gas? Mab sy'n pellhau oddi wrth ei fam ei hunan? Mab sy'n colli rheolaeth dros ei gorff ei hunan? Mab sy'n awtistig? Mab sy'n fethiant?

Fydde fe'n od siarad amdana i fel'na a finne'n ddigon agos i allu clywed? Mae rhai oedolion yn neud hynny o flân eu plant, ond sai'n blentyn bach rhagor. A'r peth arall sy'n od yw bo' Mam wedi newid ers y geirie 'ny. Newid mewn ffordd dda. Hyd yn oed yn y car ar y ffordd adre o'r ysbyty, fel arfer bydde Mam wedi gweud, "Nid bai ti yw e" ar ôl i fi neud rwbeth fel hyn, ond na'th hi ddim.

A dwi'n falch na'th hi ddim, achos bai fi *o'dd* e. Falle bod hi'n meddwl 'run peth rŵan? Ond sai'n siŵr os yw hynny'n beth da neu'n beth drwg. Mae'r newid 'ma ynddi bendant *yn* dda, achos dyw hi na Dad ddim wedi codi llais ar ei gilydd 'to. Do's dim llyncu caled wedi bod a mae hi'n cerdded o gwmpas y tŷ fel tase enfys uwch ei phen hi (does dim go iawn, obvs). Ond, dwi'n caru'r syniad o Mam 'da enfys uwch ei phen am byth.

Dwi'n mwytho Rex ac yn gwbod bod e'n barod i gysgu

'fyd, ond cyn diffodd y gole dwi'n falch pan dwi'n clywed dwy gnoc ar y drws, ac yn hytrach na gweiddi, "Dwi'n brysur", dwi'n gweud, "Dere mewn." Ni ddim yn neud small talk, achos ni'n dau yn casáu hynny. A dwi'n barod i ofyn iddi beth o'dd hi a Sian yn sôn amdano ond mae hi'n gweud,

"Dwi'n sori, Tim."

Pam mae *hi*'n gweud sori?

"Pam wyt *ti*'n gweud sori?"

"Jyst, ym… Dwi 'di bod yn ormod. Dwi'n gwbod bo' fi. Ond, dwi jyst, mae ofn arna i…"

Be sy arni hi ofn? Dwi ddim isie i Mam deimlo ofn. Dwi isie gofyn be sy'n codi ofn arni, ond dwi jyst isie gwrando 'fyd. A dwi'n meddwl bod Mam angen i fi wrando arni. Felly dwi'n gwrando.

"A weithie pan ma ofn arnot ti, ti'n ymddwyn mewn ffordd sy'n synnu dy hunan, ti'bo?"

Dwi'n deall yn llwyr.

"A do'n i ddim wir yn gwbod mai ofn o'n i nes i Sian, ym…"

Ie?

"Wedodd Sian bod hi ddim yn jelys bo' gen i fab sy'n, ym…"

Mae arna *i* ofn rŵan.

"Mab sy'n un deg chwech."

Be?

"Achos dyna pryd ry'n ni famau wir yn gorfod dechre gadel fynd. A dwi'n ofni gadel ti fynd, Tim. Sori."

Dyna pryd mae Mam yn dechre llefen ac yn gweud sori eto. Dwi erioed 'di gweld Mam fel hyn, a sai'n siŵr be i neud. Dwi'n penderfynu mwytho'i hysgwydd fel dwi'n mwytho Rex. Wrth fwytho hi, dwi'n teimlo bo' fi *gyda* Mam, a'i bod hi ddim jyst yn fam, ond yn berson ynddi hi ei hunan. Am y tro cynta, dwi'n teimlo bo' fi gyda Elen rŵan. A dwi heb feddwl, na gweud enw Mam ers blynyddoedd. Elen. Dwi'n caru Elen. A dwi'n caru Dafydd 'fyd. (Dad yw Dafydd.)

A dwi'n crynu. Ond crynu da. Crynu cryf.

Dwi'n penderfynu bod rhaid i fi stopo'r pellhau. Dwi am fod yna i Mam, i Elen. Dwi am fod yna i'w mwytho hi pan mae hi angen. Dwi am fod yna'n crynu'n gryf iddi, wastad.

"Wel, sai'n mynd i unrhyw le am o leia dwy flynedd."

Be dwi'n golygu yw prifysgol. Dwi wir isie mynd i brifysgol i astudio Cymraeg, achos dwi'n credu bo' fi isie bod yn awdur (rŵan bo' fi wedi bod mewn sawl nofel). A falle bod hynny'n golygu gadel Mam am dipyn bach, ond fydda i byth *wir* yn ei gadel hi. Byth.

Mae Mam a fi'n chwerthin oren tawel (ddim isie deffro Rex) a sai'n siŵr pam, ond dyna be sy'n teimlo'n iawn. Yn yr eiliad hon, dwi'n sylweddoli mod i erioed 'di chwerthin oren 'da Mam o'r blân, a dwi'n meddwl 'nôl i'r wers Gelf ola yn yr hen ysgol, pan o'dd angen i fi ddarlunio cariad. Dwi'n meddwl mai oren yw lliw cariad i fi. Mae Mam yn credu mai piws yw lliw cariad iddi hi. I guess mae cariad yn lliw gwahanol i bawb. Mae'r chwerthin oren yn arwain at un o'r sgyrsie hiraf dwi erioed 'di ca'l 'da unrhyw un. Ni'n siarad tan hanner nos (er bod ysgol fory). Mae Mam yn *addo* dyw hi ddim yn gweud celwydd amdani hi a Dad yn divorco a dwi'n penderfynu credu hi. Wedyn dwi'n gweud popeth wrthi am be mae Aniq yn mynd drwyddo, am fod yn gariad i Tami, dwi hyd yn oed yn sôn am y gusan gyda Robyn, a dwi'n sôn am shwt dwi'n hapus i fod yn ffrindie 'da Cat rŵan (mae Mam yn synnu pan dwi'n gweud 'rŵan', obvs). Ond dwi'n rili falch bo' fi wedi gweud wrthi *pam* 'nes i frifo fy hunan nos Wener, achos dwi 'di bod yn beio fy hunan am fod fel ydw i, am fod yn awtistig.

"Ma awtistiaeth yn rhodd i ti, Tim, yn bŵer."

Am y tro cynta 'da Mam, dwi'n speechless. Dyma'r tro cynta iddi weud y gair 'awtistiaeth'. Pan mae Mam yn gweud hyn, dwi'n deall bod ei hofn hi'n ddim *byd* i wneud â'r ffaith mod i'n awtistig. Yn sydyn, dwi'n meddwl 'nôl i'r dasg 'nes i 'da Sian. *'Dwi yn <u>awtistig</u>.'* Dwi yn fab. Dwi yn ffrind. Dwi yn ddoniol. Dwi yn berson ifanc yn dal i geisio gwneud synnwyr o'r byd, mewn lliwie. Dwi yn Gymro. Dwi'n meddwl mod i'n barod i ail-wneud y dasg.

Dwi 'di gweld isie Mam.

Sdim byd fel cariad Mam.

10

DWI'N GWISGO FY nghot, menig a sgarff, yn barod i fynd am dro i'r goedwig at y rhaeadr. A dyw hyn ddim yr am dro arferol, ar brynhawn Sadwrn gyda Dad a Rex. Mae hi'n *nos* Fercher a dwi'n mynd gyda gweddill y Pump.

Mae hi'n noson tân gwyllt.

Dwi isie bod mor bell i ffwrdd ag y galla i fod o'r tân gwyllt ei hunan, ond rhywle sy'n ddigon uchel i allu gweld yr holl beth yn glir o bell. Felly, 'nes i awgrymu i ni fynd at y rhaeadr yn y goedwig achos chi'n gallu gweld y dre gyfan a'r byd o'i chwmpas hi (dim y byd cyfan, obvs).

Ond dwi'n gadel ychydig yn gynt na Robyn, Aniq a Tami, ar ôl i Cat yrru neges ata i:

☹ Y Pump ☺
CAT'X
ti ffansi cwrdd wrth y rhaeadr bach yn gynt? jys chdi a fi. sa neis gweld chdi'n iawn. dw os ddim. ond lmk xx

Wrth i fi gerdded i gwrdd â Cat, dwi ffaelu helpu meddwl am y dyddie dwetha yn yr ysgol.

Maen nhw 'di bod y dyddie gore dwi 'di ca'l yn Ysgol Gyfun Llwyd ers i fi symud 'ma. Ar ôl gwasanaeth 'argyfwng' bore Llun, lle o'dd wmpa lwmpa (Mr Roberts) yn gweud bod angen i bawb o'dd yn yfed alcohol a dawnsio'n wyllt yn y mosh pit yn gìg Adwaith ymddwyn yn fwy fel cymuned (o'dd rhaid i ni i gyd weud "addysg heb gymuned, cymuned heb addysg" gyda'n gilydd), 'nes i benderfynu llusgo'r Pump at ei gilydd cyn gwers gynta'r wythnos a gweud bo' ni angen dechre pennod newydd i allu symud mlân, gyda neb yn poeni am unrhyw beth.

"'Dan ni ddim yn gymeriada mewn llyfr, Tim," o'dd ymateb Robyn.

A wedes i, "Wel, falle byddwn ni rhyw ddiwrnod?! Pennod newydd?"

Na'th Tami a Cat wenu'n las gole ar ei gilydd, a dyma Robyn ac Aniq yn dal dwylo'n dynn ('nes i jeco 'da nhw a naethon nhw chwerthin, ond dy'n nhw ddim yn gariadon, jyst yn lico dal dwylo fel ffrindie). O'dd pawb yn gwbod yn iawn be o'dd pennod newydd yn ei olygu i ni. Felly, 'nes i ofyn,

"Are you in, or out?"

"Ma American accent chdi'n shit, ond OK!" O'dd pawb

yn chwerthin ar Robyn, a 'nes i chwerthin 'fyd (er dwi'n dal i gredu bod American accent fi gyment gwell).

A 'nes i deimlo fe, 'nes i deimlo ni fel un chwerthin mawr oren unwaith 'to.

'Nes i roi fy llaw i mewn i'r canol.

A na'th pawb arall 'fyd.

Y Pump yn un.

卌

A fel'na ni 'di bod drwy'r wythnos, byth ar wahân, a phawb arall o'n cwmpas ni'n parchu hynny – hyd yn oed y Slayers, a'r BeiblLads am unwaith. Dwi 'di cyflwyno Nedw i'r grŵp hefyd, a mae e'n mynd i ddod am milkshake yn y Shecws 'da ni pnawn dydd Gwener.

(Maen nhw'n gweld yr un peth â fi yn Nedw. Na'th Robyn alw fe'n Tim Two, ond 'nes i weud wrtho fe beido, achos fi yw Tim a Nedw yw Nedw, a mae e'n berson ynddo fe ei hunan.)

Dwi'n cyrradd y rhaeadr. A dwi'n colli rheolaeth o ngwyneb.

Dwi ffaelu helpu gwenu.

Mae Cat yna gyda dau gan o Pepsi Max a pecyn o Cheese Strings.

Ni ddim yn gweud llawer. Ni jyst yn eistedd wrth y rhaeadr, gyda'r olygfa dwi'n caru hyd yn oed yn fwy tro 'ma. Bydden i byth wedi meddwl dod yma gyda'r nos, ond mae eistedd fan hyn yn yfed Pepsi Max gyda Cat, yn gwylio goleuade'r dre a'r awyr glir sy'n llawn sêr mewn tawelwch, yn un o'r profiade mwya arallfydol dwi 'di ca'l.

"Caru fa'ma."

A fi.

"Ga i rannu rwbath efo chdi, Tim?"

"Dyw e ddim yn ormod o syrpréis, na?"

Mae hi'n codi'i hysgwydde, felly dwi'n dechre crynu, ond dwi'n penderfynu bod yn ddewr a gweud wrthi bod e'n OK. Anadlu. Mewn a mas.

Am y naw munud nesa, dwi jyst yn gwrando ar Cat.

Mae'r naw munud *yn* syrpréis. A dim syrpréis da. Ond syrpréis sy wedi neud i fi deimlo mod i'n deall Cat gyment yn fwy, a hefyd bod 'da fi lot mwy i ddysgu amdani.

Dwi'n deall y "Dwi'n sori" gyment yn fwy. A bod rhai pobl yn profi poen sydd ar raddfa lot mwy na mhoen i. Mae hi'n gweud bod ei theulu hi, a gweddill y Pump, yn gwbod, a bod dim angen iddi rannu 'da neb arall ar y funud, achos dyw hi ddim yn caru neb arall fel mae hi'n caru ni. Dwi'n parchu 'ny.

A dwi'n penderfynu, yn y nofel hon, mai ddim fy lle i

yw rhannu stori Cat.

Wedyn, mae hi'n gweud bod arni ofn rhoi'r bobl mae hi'n eu caru drwy boen. A'r foment yna dwi'n cofio rhwbeth o'r noson na'th Cat weud, "Dwi'n sori." Dwi'n cofio'r Google Search 'nes i'r noson 'ny, a ffeindo hwn: 'There's no love without pain' o fywgraffiad yr awdur Americanaidd, Irving Stone o Vincent van Gogh. Do'n i ddim yn hoffi na'n deall y dyfyniad bryd 'ny, ond rŵan, dwi'n deall. A dwi ffaelu peido rhannu fe 'da Cat, ond yn fy ngeirie'n hunan:

"Does dim cariad heb boen."

Ni'n edrych ar ein gilydd. Dwi'n actually edrych i'w llyged hi, a mae hi'n edrych i'n rhai i. Dwi erioed 'di neud hyn 'da neb o'r blân.

Yn sydyn, ni'n dychryn wrth glywed lleisiau cyfarwydd.

Robyn. Aniq. Tami.

Maen nhw'n rhuthro draw a gweud bod y tân gwyllt ar fin dechre.

Dwi ddim angen earplugs fan *hyn*, gyda *nhw*.

O fewn pump eiliad mae'r tân gwyllt cynta wedi'i saethu i'r awyr. Yna mae'r nesa, a'r nesa a'r nesa. Ac wrth i'r pump ohonon ni eistedd yn glòs i gadw'n gynnes wrth wylio'r ffrwydriadau yn y pellter, dwi'n teimlo rhyw deimlad anghyfarwydd. Teimlad newydd.

Dwi'n teimlo nghorff i'n dechre colli rheolaeth, ond

dim y crynu yw e. Mae e'n teimlo'n bell o'r crynu.

Dwi'n meddwl bo' fi'n hedfan. Yr un math o hedfan o'dd Mam yn teimlo wrth ddawnsio i 'Go Your Own Way' yn gìg Fleetwood Mac, falle.

Obvs, dwi ddim yn hedfan *go iawn*.

Wel actually...

Nofel *fi* yw hon. Stori fi. Fi sy'n dewis be sy'n digwydd. Galla i ddewis ei bod hi'n nofel ramant, antur *ac* arswyd ar yr un pryd os dwi isie.

Ac os dwi'n teimlo bo' fi'n hedfan go iawn, dwi *yn* hedfan go iawn.

Dyna sut dwi'n teimlo pan dwi'n rhan o'r Pump.

Dwi'n hedfan.

Dyma restr o wefannau allai fod o gymorth.

Meddwl: meddwl.org

Mind: mind.org.uk

Meic Cymru: meiccymru.org

Shout: giveusashout.org

The Mix: themix.org.uk

YoungMinds: youngminds.org.uk

Diverse Cymru: diversecymru.org.uk

NAS (National Autistic Society) Cymru: autism.org.uk/what-we-do/wales

Awtistiaeth Cymru: autismwales.org/cy

Aubergine Cafe Cymru: auberginecafe.co.uk

Jim Taylor Knows Autism: jimtaylorknowsautism.com

Your Space / Dy Le Di: yourspacemarches.co.uk

Dynamic Wrexham: dynamicwrexham.org.uk

Tami

Y PUMP

MARED ROBERTS
gyda CERI-ANNE GATEHOUSE

Anig

Y PUMP

MARGED ELEN WILIAM
gyda MAHUM UMER

Robyn

Y PUMP

IESTYN TYNE
gyda LEO DRAYTON

Cat

Y PUMP

MEGAN ANGHARAD HUNTER
gyda MAISIE AWEN

Holwch am bris argraffu!
www.ylolfa.com